Éditrice: Caty Bérubé
Directrice générale: Julie Dodriddge

Rédactrice en chef: Geneviève Boisvert
Chef d'équipe production éditoriale: Crystel Jobin-Gagnon
Chef d'équipe production graphique: Marie-Christine Langlois
Chefs cuisiniers: Benoit Boudreau et Richard Houde.

Auteurs: Pascal-Hugo Cantin et Jessie Nadeau.

Rédactrice: Raphaële St-Laurent Pelletier
Réviseures: Marilou Cloutier et Corinne Dallain.
Conceptrices graphiques: Sonia Barbeau, Sheila Basque, Marie-Chloë G. Barrette, Karyne Ouellet et Claudia Renaud.
Spécialiste en traitement d'images et calibration photo: Yves Vaillancourt
Photographes: Mélanie Blais, Tony Davidson, Rémy Germain et Marie-Ève Lévesque.
Stylistes culinaires: Laurie Collin et Maude Grimard.
Coiffeuse et maquilleuse: MarieLine Linteau
Styliste vestimentaire: Mélissa Poudrier
Collaboratrice: Anne-Marie Roy

Directeur de la distribution: Marcel Bernatchez
Distribution: Éditions Pratico-pratiques et Messageries ADP.

Impression: TC Interglobe

Dépôt légal: 3e trimestre 2018
Bibliothèque et Archives nationales du Québec
Bibliothèque et Archives Canada
ISBN 9782896588527

Gouvernement du Québec. Programme de crédit d'impôt pour l'édition de livres – Gestion SODEC

1685, boulevard Talbot, Québec (QC) G2N 0C6
Tél.: 418 877-0259
Sans frais: 1 866 882-0091
Téléc.: 418 780-1716
www.pratico-pratiques.com

Végane, MAIS PAS PLATE !

avec JESSIE & PH

TABLE DES MATIÈRES

100

42

En sortant d'Occupation Double, jamais je n'aurais imaginé l'impact qu'a eu mon passage à l'émission. Je reçois encore des messages par centaines de gens qui s'intéressent au véganisme et, toutes les fois, ça me touche profondément. Comme mon implication se fait à travers ma vie avec PH, j'ai réussi à trouver un équilibre entre mon activisme et le partage de solutions et d'alternatives. Ensemble, on réussit à créer un changement, que ce soit pour les animaux, pour la santé des humains ou pour la planète.

En partageant ma vie avec PH, et en la montrant en partie au public, je peux démontrer à toutes et à tous comment ce mode de vie est positif. Quand j'ai découvert celui-ci, lentement mais sûrement, j'étais seule. Je n'avais pas la chance de côtoyer au quotidien quelqu'un de plus informé que moi à ce sujet, contrairement à PH.

À mon rythme, je me suis éduquée sur le véganisme. Par étapes. Ça a pris plusieurs années avant que je puisse me dire végane.

Changer de mode de vie peut être excitant, mais peut aussi faire peur parfois. Si j'avais eu en ma possession un livre comme celui que vous tenez dans vos mains, ma transition aurait été grandement facilitée. C'est pour cette raison que le projet de livre de recettes m'attirait tant. Je voulais offrir quelque chose qui faciliterait la vie, qui donnerait les outils, les informations et les idées que j'aurais aimé avoir il y a plusieurs années.

En regardant mon parcours, mon éducation, mes influences et les traditions de ma famille, on n'aurait pas pu prédire que j'embrasserais le mouvement du véganisme. J'ai grandi en campagne, entre le Lac-Etchemin et Sainte-Marie de Beauce. Mon entourage se composait principalement de chasseurs, de fermiers. De grands consommateurs de produits d'origine animale. Je mangeais de la viande et buvais un grand verre de lait chaque jour. Bien que mes repas étaient simples, j'ai eu la chance d'avoir une mère et une grand-mère qui cuisinaient pour moi. Soupe Lipton, fromage coupé en cubes, pâtes, patates pilées, viande et carottes formaient la plupart de mes repas.

Côté bouffe, c'est certainement ma grand-mère qui m'a le plus influencée. Elle m'a transmis son appétit. Pour moi, un repas n'était pas complet sans une soupe en entrée et un gâteau comme dessert. J'ai toujours aimé manger, mais mon désir de cuisiner ne s'est développé que beaucoup plus tard dans ma vie. Le critère que je recherchais en premier lorsque venait le temps de cuisiner : la simplicité de la recette. Cette simplicité est au cœur de notre livre.

Depuis ma transition, j'ai côtoyé des véganes de tous les horizons. J'ai parcouru l'Amérique, et j'ai découvert l'étendue des possibles de ce type de cuisine. J'ai ramené cette connaissance avec moi. Toutes ces saveurs dans mon quotidien. Certains le voient comme une restriction, mais c'est en fait une ouverture. Une ouverture vers l'inconnu. Revoir certaines de nos habitudes et aller vers un monde plus beau. Un monde où la tolérance et la justice peuvent rimer avec saveur et plaisir. C'est faire du mieux possible, le plus souvent possible, pour vivre avec compassion envers soi-même et envers les autres humains, les animaux et l'environnement.

Dans mon cas, c'est ma curiosité qui s'en voit rassasiée. Je découvre de nouvelles choses tous les jours, de nouveaux aliments. Mon alimentation est plus diversifiée qu'elle ne l'a jamais été.

Avec ce livre, vous serez en mesure de diversifier la vôtre. Et croyez-moi… vous ne regretterez rien.

Jessie Nadeau

Dès la minute où j'ai adressé la parole à Jessie, je savais que si je voulais être avec elle, à long terme, mes jours d'omnivore étaient comptés.

Dans mon parcours d'athlète, tous les paramètres me semblaient calculés. Un mécanisme bien huilé qu'on m'avait inculqué à grands coups de « Parce que c'est comme ça. » Tu poses une question de trop, et tu deviens dissident. Donc tu te tais, et tu fais ce qui a toujours été fait, en bon soldat. Pour moi, l'alimentation était un sous-dossier. Poulet, brocoli. Steak, riz. Pâtes la veille d'une performance. Ça, toujours, depuis des années.

J'avais besoin de plus. Ma mère, grande cuisinière, m'a permis de m'émanciper d'une certaine façon de ce carcan culturel. Elle m'a appris à trouver des alternatives à ce qui m'était proposé. Mes souvenirs de sa tourtière du Lac à Noël, de sa soupe minestrone les fins de semaine de compétition et de son rosbif chaque fois que papi venait à la maison me font encore saliver et le feront probablement toujours, même si, sans l'ombre d'un doute et sans aucun regret, je n'y retoucherai jamais.

Par elle, j'ai appris la cuisine, et j'ai transporté ces connaissances avec moi lorsque j'ai quitté la maison familiale. Je faisais à manger tous les jours en appartement. C'était un moment agréable, paisible. J'écoutais du Ben Howard et regardais le coucher de soleil en cuisinant tranquillement, sans souci. Pour moi, ça a toujours été un plaisir.

Puis, est arrivé Occupation Double. Tout le monde connaît les détails de ça. Sûrement mieux que moi. J'y ai rencontré une personne extraordinaire. Une personne que j'avais envie d'avoir dans ma vie. Et, comme pour toutes les personnes que je veux dans ma vie, l'opinion de Jessie et sa vision de la vie importaient énormément pour moi.

Le véganisme. J'y étais confronté pour la première fois, honnêtement. Jessie m'a posé des questions auxquelles je n'avais aucune réponse. Pourquoi favoriser mon plaisir gustatif à la vie d'un animal, sachant que ce sont des êtres sentients, qui ont des intérêts ? Pourquoi consommer, volontairement, la seule source naturelle de gras trans, connaissant leurs impacts extrêmes sur la santé ? Pourquoi encourager l'industrie la plus polluante au monde, alors que j'essayais de plusieurs autres façons de réduire mon empreinte écologique ?

Je n'avais qu'une réponse au fond de moi, mais je savais pertinemment qu'elle ne valait rien : parce que ça a toujours été comme ça.

Qu'arrive-t-il lorsqu'il n'y a plus nécessité ? Qu'arrive-t-il lorsqu'on réalise qu'avec une alimentation uniquement végétale, on peut être parfaitement en santé sans enlever la vie et ruiner la planète ? Le questionnement était entamé. Il ne restait qu'un problème : le goût.

Avec le peu d'outils dont nous disposions à Bali, j'ai commencé à expérimenter. Tempeh, tofu, shiitakes, légumineuses. Puis, nous sommes partis au Laos, puis à Zanzibar, puis à Singapour. Autant de pays, autant de saveurs végétales nouvelles. Juste parce que je portais attention, je remarquais les nombreuses options et l'étendue des possibles.

Nous étions, malgré tout, encore limités.

C'est quand j'ai retrouvé une cuisine que le plaisir a commencé. De retour au Québec, je me suis informé plus en profondeur sur la cuisine végane. Ma famille et mes amis m'ont acheté des livres de recettes (merci à eux !), et Jessie m'a montré tous les restaurants à Montréal.

J'ai découvert des saveurs, des couleurs, des textures nouvelles. Nous avons suivi une clinique de nutrition, avec Anne-Marie Roy, où j'ai appris les subtilités et les avantages d'une nutrition végétale.

J'ai découvert de nouvelles contraintes. Mais pour moi, des contraintes ne sont jamais négatives. Des contraintes forcent à faire des choix créatifs qui permettent de sortir des sentiers battus, d'éviter les clichés. Autant en écriture qu'en cuisine.

Puis, le projet a commencé à prendre forme. Nous avions véganisé nos recettes préférées, nos classiques, et nous avions essayé, apprivoisé et ajusté des standards végétaux. Jessie proposait des plats, je les cuisinais, nous les goûtions, nous les ajustions. Au final, nous avions une liste de recettes. Liste qui se retrouve dans ce livre.

Si, d'une certaine façon, nous pouvons, à travers ces pages, aider quelqu'un dans sa transition ou, encore mieux, donner envie à quelqu'un d'essayer un passage à une alimentation végétale, ce sera mission accomplie.

En espérant que ces recettes vous plairont,

Manger 100 % végétal

Consommer exclusivement des aliments d'origine végétale, c'est accessible à tous et moins compliqué qu'on le pense ! Pour vous le démontrer, nous avons fait appel à Anne-Marie Roy, diététiste-nutritionniste, avec qui Jessie et PH ont suivi une formation de douze semaines afin de s'introduire aux bases de l'alimentation végétale. Apprenez-en plus sur ce mode d'alimentation qui vous fera découvrir de nouveaux aliments, de nouvelles saveurs et de nouvelles façons de cuisiner, et ce, dans la simplicité !

Merci à Anne-Marie Roy, diététiste-nutritionniste diplômée de l'Université Laval (Clinique Renversante, cliniquerenversante.com), pour sa précieuse collaboration.

Manger végétal, c'est quoi ?

Contrairement au végétarien qui élimine la viande, mais qui consomme certains aliments d'origine animale (produits laitiers, poisson et fruits de mer, et parfois œufs), le végétalien se nourrit exclusivement d'aliments d'origine végétale. Le végane s'alimente à la manière du végétalien, mais son engagement va au-delà de l'alimentation : il adopte un mode de vie fondé sur le rejet de toute forme d'exploitation ou de cruauté animale. Cela signifie qu'en plus d'éviter la chair animale et les sous-produits animaux, il refuse de vivre en utilisant des produits qui y sont associés (fourrure, cuir, laine, soie, cosmétiques testés sur les animaux, etc.).

Il est intéressant de comprendre les différents types de végétarisme, mais il n'est pas nécessaire de se catégoriser. Il faut plutôt voir ce processus comme une découverte d'un nouveau mode de vie et de nouvelles expériences culinaires.

« Manger végane n'est pas synonyme de "j'arrête de", mais plutôt de "je remplace par" et de "je découvre" ! »
– Jessie et PH

Mais pourquoi choisir de se tourner vers les végétaux ? Pour des raisons éthiques et environnementales ainsi que pour des raisons de santé, principalement. Les animaux sont des êtres sensibles qui ressentent eux aussi des émotions et de la douleur, et leur exploitation pose un problème d'ordre éthique, moral et politique. Lorsque l'on sait en plus que l'élevage et la production de produits animaux ont de graves conséquences environnementales (production de gaz à effet de serre, déforestation, disparition de certaines espèces, pollution de l'air, des sols et des rivières, gaspillage d'eau, etc.), on peut aussi considérer l'alimentation végétale comme un acte militant écologique.

En mangeant végétal, on est gagnant !

Même si les aliments du règne animal sont répandus, il est prouvé qu'il n'est pas nécessaire d'en consommer : les végétaux nous fournissent tout ce dont nous avons besoin pour bénéficier d'une alimentation saine et équilibrée. En plus de fournir des nutriments essentiels au bon fonctionnement de l'organisme, ils procurent plusieurs protecteurs absents des produits animaux : des fibres, des prébiotiques, de même que des phytonutriments reconnus pour améliorer le système immunitaire et la santé cardiovasculaire ainsi que pour leur effet antioxydant, anti-inflammatoire et anti-cancer.

Les bénéfices d'une alimentation végétale bien équilibrée sont de plus en plus prouvés : de nombreuses études scientifiques ont démontré qu'elle diminue les risques d'obésité, de maladies cardiovasculaires, d'hypertension artérielle, de diabète de type 2 ainsi que de cancer (du côlon et de la prostate, surtout). L'alimentation végétale favorise aussi l'amélioration du bien-être général et l'augmentation de l'espérance de vie.

Parmi les études sérieuses ayant permis de tirer ces conclusions, on retient notamment l'EPIC Oxford et la Adventist Health Study-2 (AHS-2). Ces deux études sont toujours en cours et font appel à de grandes cohortes composées d'individus au mode de vie similaire et soucieux de leur santé. La première a vu le jour en 1993 et comprend 65 000 participants du Royaume-Uni ; la seconde est née en 2002 et s'effectue avec la collaboration de 96 000 participants d'Amérique du Nord. Les résultats démontrent clairement qu'une alimentation basée sur les végétaux pourrait aider à prévenir et parfois même renverser certaines maladies chroniques.

Si les études cliniques sont plus difficiles à réaliser, les études épidémiologiques permettent quant à elles de connaître les habitudes alimentaires de populations de différentes régions du globe et leur impact sur la santé. Par exemple, les démographes Gianni Pes et Michel Poulain ont identifié des « zones bleues », c'est-à-dire des régions du monde où les gens partagent des caractéristiques communes leur permettant de mener une vie active jusqu'à 90 ans et plus. Il s'agit de régions où l'alimentation se base surtout sur les végétaux. Voici les cinq zones les plus reconnues :

- **Loma Linda (Californie)**
- **Okinawa (Japon)**
- **Sardaigne (Italie)**
- **Icarie (Grèce)**
- **Péninsule de Nicoya (Costa Rica)**

Selon l'Academy of Nutrition and Dietetics (eatright.org), l'alimentation végétale convient à tous les cycles de vie : l'enfance, l'adolescence, l'âge adulte, la grossesse et l'allaitement. Elle convient aussi aux athlètes.

Pourquoi a-t-on peur de manger végétal ?

La preuve n'est plus à faire : les produits animaux ne sont pas absolument essentiels à la santé humaine. Dans ce cas, qu'est-ce qui explique que certaines personnes ont peur de végétaliser leur alimentation ? Et d'où viennent les inquiétudes de certains proches à qui on annonce un changement de cet ordre ?

Cela s'explique en partie par le fait que la consommation de produits animaux est ancrée dans notre culture. Les cours de nutrition étant absents des écoles, l'industrie alimentaire a plus d'influence sur nous. Or, lorsque l'on mange végétalien, tant que l'on insiste sur la variété et la qualité, il y a très peu de risques de carences, puisque les végétaux à eux seuls peuvent subvenir à nos besoins (à l'exception de la vitamine B12). Dans plusieurs régions du globe, l'alimentation repose sur la consommation de végétaux, et cela n'affecte pas la santé de ces populations – c'est même plutôt le contraire ! La clé, c'est de se tenir bien informé en ce qui a trait à la nutrition afin de développer un esprit plus critique et ainsi de pouvoir faire des choix plus éclairés.

Le secret pour aller chercher tous les nutriments dont le corps a besoin et favoriser une bonne santé : manger diversifié, coloré et le moins transformé possible !

3 mythes
sur l'alimentation végane

1 Manger végane, c'est plus cher et plus compliqué.

Faux. Puisqu'une image vaut mille mots, nous avons comparé deux menus, l'un omnivore et l'autre végane, afin de vous démontrer que cet argument n'est pas véridique*.

Déjeuner

7 g de protéines de plus, 9 g de gras de moins, 3 g de fibres de plus et deux fois plus de fer.

Omnivore

1 tranche de pain intégral
Deux œufs brouillés
Huile de canola
Deux tranches de bacon
Trois à quatre tranches de tomate
250 ml (1 tasse) de lait 2 %

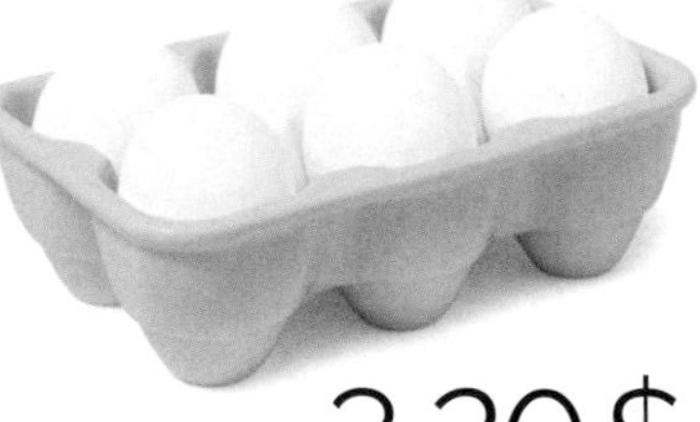

3,20 $

PRÉPARATION 10 MINUTES

Par portion: 609 calories; protéines 31 g; matières grasses 39 g; glucides 34 g; fibres 4 g; fer 4 mg; calcium 428 mg; sodium 672 mg

Végane

Une tranche de pain intégral
Tofu brouillé
Huile de canola
Deux tranches de simili-bacon
Trois à quatre tranches de tomate
250 ml (1 tasse) de boisson de soya enrichie

3,49 $

PRÉPARATION 10 MINUTES

Par portion: 587 calories; protéines 38 g; matières grasses 30 g; glucides 42 g; fibres 7 g; fer 8 mg; calcium 493 mg; sodium 624 mg

Dîner

Neuf fois et demie plus de fibres, quatre fois et demie plus de fer et six fois plus de calcium.

Omnivore

Salade de poulet grillé

6,25 $

PRÉPARATION 15 MINUTES

Par portion: 294 calories; protéines 43 g; matières grasses 6 g; glucides 15 g; fibres 2 g; fer 2 mg; calcium 44 mg; sodium 408 mg

Végane

Salade de tempeh et pois chiches grillés

PRÉPARATION 15 MINUTES

Par portion: 688 calories; protéines 24 g; matières grasses 49 g; glucides 45 g; fibres 19 g; fer 9 mg; calcium 271 mg; sodium 322 mg

4,86 $

Souper

Omnivore

Spaghetti sauce à la viande

PRÉPARATION
35 MINUTES

Par portion :
535 calories ;
protéines 28 g ;
matières grasses 21 g ;
glucides 58 g ;
fibres 4 g ; fer 3 mg ;
calcium 131 mg ;
sodium 454 mg

2,75 $

Végane

Spaghetti sauce aux lentilles

Trois fois et demie moins de gras, deux fois et demie plus de fibres et trois fois plus de fer.

PRÉPARATION
15 MINUTES

Par portion :
599 calories ;
protéines 25 g ;
matières grasses 6 g ;
glucides 114 g ;
fibres 10 g ; fer 8 mg ;
calcium 138 mg ;
sodium 364 mg

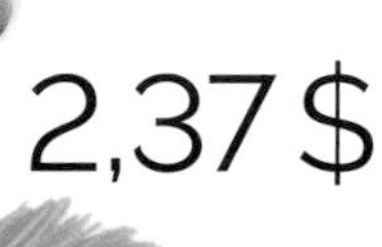

2,37 $

Collation

Omnivore

Fromage (de type Ficello) + une pomme

Par portion : 165 calories ; protéines 6 g ;
matières grasses 6 g ;
glucides 25 g ; fibres 3 g ;
fer 0,2 mg ; calcium 175 mg ;
sodium 162 mg

1,79 $

Végane

30 g d'amandes (environ 23 amandes) + une pomme

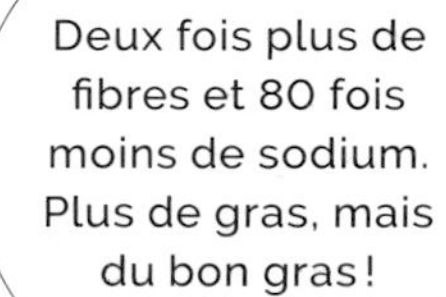

Deux fois plus de fibres et 80 fois moins de sodium. Plus de gras, mais du bon gras !

Par portion : 268 calories ;
protéines 7 g ;
matières grasses 15 g ;
glucides 32 g ; fibres 7 g ;
fer 1 mg ; calcium 92 mg ;
sodium 2 mg

2,82 $

En résumé...

Cuisiner des mets exclusivement constitués de végétaux, ce n'est pas plus long ! Si vous cuisinez avec des aliments de base peu transformés qui nécessitent peu ou pas de préparation, c'est d'autant plus simple (ajouter des noix à un sauté de légumes, par exemple). Avec tous les produits végétaliens vendus un peu partout ainsi qu'avec les mille et une recettes créées pour s'inspirer et varier ses repas, cuisiner « végétal » n'est pas plus compliqué non plus.

Et ce n'est pas tout : les produits animaux (viande, poisson, fromage, etc.) représentent une grande proportion du budget d'une épicerie omnivore, tandis que les options végétales offertes pour les remplacer (légumineuses, tofu, tempeh, etc.), elles, sont souvent moins coûteuses ! Les produits végétaux transformés (faux fromages, simili-viande, etc.) peuvent cependant être plus coûteux, d'où l'avantage de privilégier les produits de base non transformés.

* Le prix de chaque repas a été calculé pour une portion et résulte d'une moyenne de prix pour chaque aliment vendu en épicerie. Notez que les prix sont approximatifs et qu'ils peuvent varier en fonction des marques choisies. Les valeurs nutritives ont été calculées à l'aide du Fichier canadien sur les aliments nutritifs.

Les véganes manquent de protéines

Faux. On trouve de nombreuses sources de protéines végétales, dont les principales sont les légumineuses (pois chiches, soya, haricots, lentilles, fèves, pois, etc.). Les céréales (riz, avoine, blé, seigle, etc.), les pseudo-céréales (quinoa, amarante, sarrasin), les noix (noix de Grenoble, pacanes, etc.), les graines (tournesol, citrouille, chia, chanvre, etc.) et plusieurs légumes (brocoli, chou kale, etc.) sont d'autres sources de protéines. Ces dernières résultent d'une combinaison de plusieurs acides aminés.

Or, en consommant différentes sources de protéines végétales et en mangeant diversifié, on bénéficie de suffisamment d'acides aminés essentiels pour en faire des protéines complètes et subvenir à nos besoins quotidiens. Contrairement à ce que l'on a longtemps cru, il n'est pas nécessaire de combiner les protéines au cours d'un même repas : c'est la complémentarité des protéines consommées dans une période de 24 heures qui compte.

Pour calculer ses besoins en protéines, Santé Canada recommande de consommer 0,8 g de protéines par kg de poids. Par exemple, pour une femme pesant 132 lb (60 kg), les besoins quotidiens seraient d'environ 48 g de protéines. Pour une personne active, on recommande 0,9 g/kg de poids. Dans le cadre d'une alimentation végétalienne, on recommande souvent d'arrondir à 1 g.

Voici quelques exemples de substitutions aux protéines animales pour une portion d'environ 100 g (sauf pour les aliments où une autre quantité est indiquée).

Protéines animales	Protéines végétales
Bœuf haché mi-maigre cuit 25 g	**Lentilles cuites** 9 g
Poitrine de poulet grillée 30,5 g	**Tempeh** 19 g
Saumon cuit ou grillé 22 g	**Tofu ferme** 17 g
Fromage ferme de type cheddar (50 g – 1 ¾ oz) 12 g	**Protéines de soya texturées (50 g)** 25 g
Yogourt grec 2 % 9,7 g	**Graines de chanvre (60 ml – ¼ de tasse)** 13 g
1 œuf cuit dur 6 g	**Sarrasin en grains (125 ml – ½ tasse)** 12 g
	Amandes (60 ml– ¼ de tasse) 8 g

L'avantage, en consommant des protéines du règne végétal, c'est que celles-ci renferment des fibres et de bons gras, contrairement aux protéines animales qui, elles, ne renferment pas de fibres et procurent des gras saturés, considérés comme de mauvais gras.

Les végétaliens risquent de souffrir de carences.

Faux. Les végétaux aussi contiennent de nombreux nutriments essentiels : il suffit de diversifier son alimentation pour en bénéficier. Voici quelques comparaisons démontrant que les aliments d'origine végétale nous fournissent tout ce dont on a besoin !

Fer

(apport recommandé pour un adulte : 8 mg/jour pour un homme et 18 mg/jour pour une femme âgée entre 19 et 50 ans)

Le fer contenu dans les végétaux (non hémique) est moins bien absorbé par l'organisme que le fer d'origine animale (hémique). Cependant, en consommant des aliments contenant de la vitamine C (poivron rouge, brocoli, cantaloup, fraises, etc.) en même temps, on maximise de deux à six fois l'absorption du fer non hémique.

75 g (2 ½ oz) de **poulet cuit** = entre 0,2 et 2 mg

→

175 ml (environ ¾ de tasse) de **lentilles cuites** = entre 4,1 et 4,9 mg

D'autres sources végétales de fer : légumineuses (haricots, lentilles, pois), tofu, tempeh, graines de sésame, quinoa, certains légumes (pois-mange-tout, asperges, bette à carde, etc.), graines de citrouille...

Calcium

(apport recommandé pour un adulte : 1000 mg/jour)

250 ml (1 tasse) de **lait de vache** (3,3 %, 2 %, 1 % ou écrémé) = entre 291 et 322 mg

→

250 ml (1 tasse) de **boisson de soya enrichie en calcium** = environ 320 mg

D'autres sources végétales de calcium : tofu, tempeh, boissons végétales enrichies, bok choy, chou kale, chou collard, haricots blancs, mélasse verte, graines de sésame non décortiquées...

Potassium

(apport recommandé pour un adulte : 4700 mg/jour)

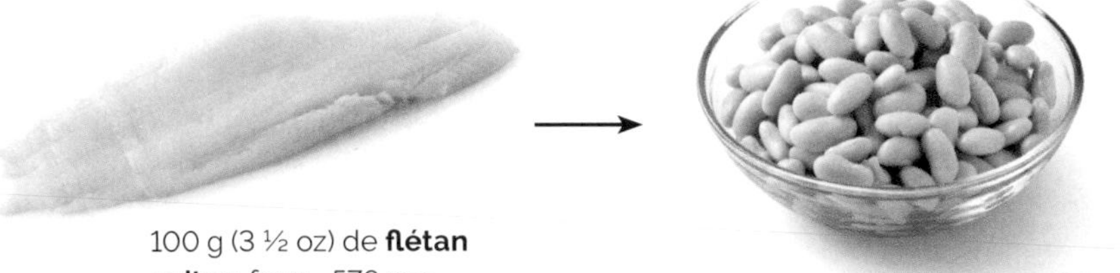

100 g (3 ½ oz) de **flétan cuit** au four = 576 mg

250 ml (1 tasse) de **haricots blancs cuits** = 1061 mg

D'autres sources végétales de potassium : légumes (courges, tomate, haricots verts, etc.), légumineuses, pomme de terre avec pelure, fruits (banane, avocat, etc.)...

Magnésium

(apport recommandé pour un adulte : entre 310 et 320 mg/jour pour les femmes et entre 400 et 420 mg/jour pour les hommes)

100 g (3 ½ oz) de **thon rouge** = 64 mg

60 ml (¼ de tasse) de **noix du Brésil** = 133 mg

D'autres sources végétales de magnésium : légumineuses, légumes (épinard, bette à carde, artichaut, etc.) grains entiers, noix, graines (exemple : citrouille), cacao...

Zinc

(apport recommandé pour un adulte : 8 mg/jour pour les femmes et 11 mg/jour pour les hommes)

100 g (3 ½ oz) de **bœuf** (épaule) = entre 7 et 11 mg

36 g (1 ¼ oz) de **shiitakes séchés** (environ 10) = 3 mg

D'autres sources végétales de zinc : légumineuses, tofu, germe de blé, noix (noix de pin, amandes, etc.), graines (citrouille, sésame, etc.)...

Préoccupations particulières

Pour bénéficier d'une alimentation la plus complète possible, portez une attention spéciale à ces suppléments :

- **Vitamine D** (besoins : environ de 600 UI/jour à 2000 UI/jour). On en fait le plein principalement grâce à 15 minutes d'exposition au soleil par jour (de mars à octobre). Les boissons végétales sont aussi une source de vitamine D.
- **Vitamine B12.** On en retrouve dans les boissons végétales, les céréales enrichies, la simili-viande et la levure alimentaire (de type Red Star). Il est par contre souvent plus sécuritaire d'ajouter un supplément de vitamine B12 de 25 à 250 mcg (sous forme de cyanocobalamine) à son alimentation.
- **Iode** (besoins : environ 150 mcg/jour). Parmi les sources, on trouve les algues (wakamé, nori,...) et le sel iodé (sel de table).
- **Acides gras oméga-3** (besoins : environ 1,6 g/jour pour les hommes et 1,1 g/jour pour les femmes). Ils sont fournis par les graines de lin moulues, les graines de chanvre ou de chia, l'huile de canola et les suppléments de DHA/EPA végétaux (microalgues).

La B12 est la seule vitamine qui n'est pas présente dans les végétaux : il faut donc compenser avec des suppléments ou consommer des aliments enrichis en vitamine B12.

Zoom sur le garde-manger végane

Voici un aperçu des ingrédients véganes de base à garder sous la main pour se concocter des plats équilibrés, colorés et savoureux !

Fruits et légumes (frais, surgelés, en purée, en compote...)

Légumineuses (sèches, en conserve, surgelées) : lentilles, haricots, pois chiches, edamames, etc.

Noix et graines : amandes, noix de Grenoble, noix du Brésil, graines de citrouille, graines de lin, graines de chia, graines de chanvre, beurres de noix (arachide, amande, tahini...), etc.

Tofu (ferme et soyeux)

Tempeh

Boissons végétales : soya, amande, noix de cajou, noisette, riz, avoine, etc.

Faux fromages (à base de noix ou de soya)

Yogourt végétalien (à base de soya ou de tofu soyeux)

Céréales : épeautre, flocons d'avoine, millet, orge, sarrasin, riz, pâtes alimentaires, couscous, etc.

Farine : blé, épeautre, sarrasin, etc.

Poudre à pâte et bicarbonate de soude

Fécule de maïs ou de tapioca

Pain, tortillas, pitas, etc.

Huiles végétales

Bouillon de légumes

Condiments : vinaigre, sauce soya, moutarde, sauce piquante, levure alimentaire en flocons, miso, etc.

Sirop d'érable et purée de dattes

Aromates (fines herbes et épices)

Chocolat végane (sans poudre de lait)

Produits prêts-à-manger : tartinades, houmous, simili-viande, galettes végé, seitan (protéine de blé), etc.

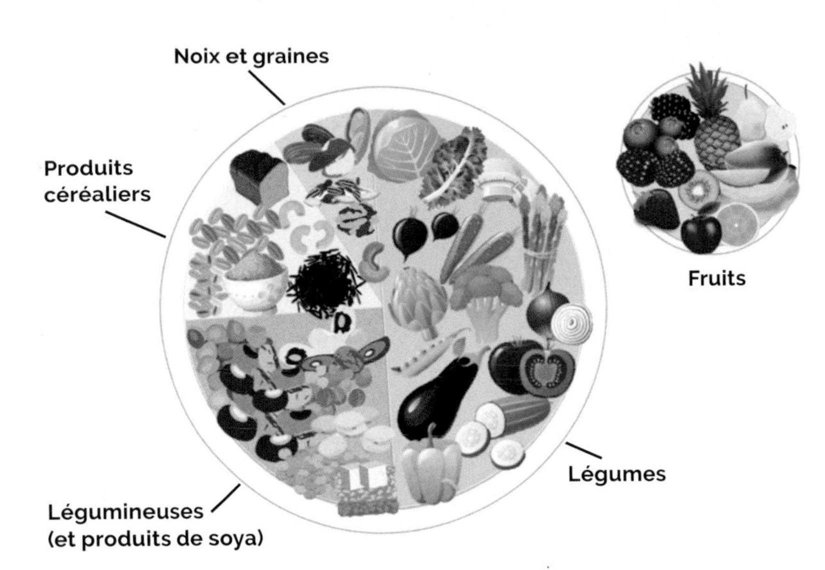

L'assiette équilibrée 100 % végétale

Voici un aperçu de la place que devrait occuper chacune des catégories de végétaux dans votre alimentation, soit les légumes, les légumineuses (incluant le soya et ses dérivés), les produits céréaliers, les fruits ainsi que les noix et les graines.

VÉGANE : synonyme de santé ?

Pas forcément. Que l'on soit omnivore ou végétalien, on trouve sur le marché des produits transformés qui sont hélas peu satisfaisants d'un point de vue nutritif. Les frites cuites dans l'huile végétale et les boissons gazeuses, par exemple, sont véganes. Tous les produits ne se valent pas, et ce, peu importe la catégorie à laquelle ils appartiennent. Par exemple, certains aliments bios renferment une longue liste d'additifs, et une boisson de soya aromatisée peut être riche en sucre ajouté. Il n'en tient donc qu'à vous de consommer de façon responsable et de lire les informations nutritionnelles avant d'acheter, en privilégiant les aliments végétaux peu ou pas transformés.

L'idéal à atteindre, c'est une alimentation basée sur la consommation de végétaux les moins transformés possible : les fruits, les légumes, les légumineuses, les noix et les grains entiers devraient être au cœur de votre alimentation !

Qu'est-ce qu'un aliment transformé ?

On sait qu'un sac de croustilles ou un macaroni instantané appartient à la catégorie des aliments transformés. Mais qu'est-ce qu'un aliment transformé exactement ? Anne-Marie Roy, diététiste et nutritionniste, nous explique qu'il s'agit **d'un aliment duquel on a retiré un ou plusieurs bons éléments ou auquel on a ajouté des ingrédients néfastes pour la santé (sucre, additifs, etc.).** C'est le cas par exemple de la farine blanche, dont on a retiré l'enveloppe du grain qui contient les fibres, des huiles auxquelles on a retiré la pulpe, laquelle contient les éléments nutritifs, des céréales commerciales auxquelles on a ajouté du sucre, etc. Par ailleurs, certains classent systématiquement les prêts-à-manger vendus au supermarché dans la catégorie des aliments transformés. Or, certaines compagnies offrent désormais d'excellents produits prêts-à-manger constitués d'ingrédients bruts et exempts d'additifs. Lisez les étiquettes !

Petit guide pour démêler le vrai du faux

Comment s'assurer de la crédibilité d'une source d'information ? Comment choisir des produits de qualité ? On vous donne quelques trucs ici !

- Développer un esprit critique
- Savoir lire les étiquettes nutritionnelles
- Vérifier la liste des ingrédients : la qualité des ingrédients et leur ordre d'apparition sont plus importants que la longueur de la liste
- Ne pas se fier aux allégations accrocheuses qui s'affichent sur les emballages
- Savoir reconnaître les publicités déguisées
- Vérifier ses sources : s'assurer que les auteurs sont crédibles et qu'il n'y a pas de conflit d'intérêts (financier, commercial...)

Je veux devenir végane : par où commencer ?

Voici quelques pistes pour vous aider à passer plus facilement à un mode de vie végane.

- **Diminuez progressivement votre consommation de produits animaux.** Allez-y une journée à la fois. Selon votre niveau de confort, vous pourriez commencer par une journée sans viande par semaine (le lundi sans viande, par exemple), puis augmenter peu à peu la fréquence. Vous pouvez également faire de même avec les catégories d'aliments : commencer par couper la viande, puis les œufs, et enfin, les produits laitiers.
- **Informez-vous sur les bases de l'alimentation.** Cette étape est essentielle pour s'assurer d'intégrer des habitudes alimentaires saines et équilibrées. De nombreuses ressources (livres, associations, formations, nutritionnistes, etc.) sont à votre disposition.
- **Inscrivez-vous à un défi (« Le défi végane 21 jours », par exemple) ou à un programme.** Ce type d'offre permet non seulement de se motiver, mais aussi d'avoir accès à une mine d'informations, de conseils et d'idées de recettes pour se familiariser avec le véganisme.
- **Repérez les commerces où vous approvisionner près de chez vous.** Même si les produits véganes font tranquillement leur entrée dans les supermarchés, il faudra sans doute compléter dans une boutique spécialisée ou un magasin d'aliments naturels pour trouver tout le nécessaire.
- **Rencontrez des véganes.** De nombreux événements véganes peuvent vous permettre d'échanger avec des gens ayant adopté une alimentation végétale. Il s'agit d'un bon moyen de découvrir des trucs, des conseils et de bonnes adresses, notamment, et de garder la motivation. Les réseaux sociaux peuvent aussi favoriser des échanges enrichissants.
- **Faites l'expérience de nouvelles saveurs :** osez essayer de nouveaux aliments et rendez-vous dans des restos véganes pour vous inspirer.

Pour aller plus loin...

Voici différents sites et ouvrages que nous vous proposons pour amorcer (ou poursuivre !) votre réflexion sur le véganisme.

Nutrition, alimentation ou santé

- APSAV (apsav.org ou sur Facebook)
- Clinique Renversante (cliniquerenversante.com)
- Garth Davis, M.D., *Protein Aholic: How Our Obsession with Meat Is Killing Us and What We Can Do About It*, 2016 (proteinaholic.com ou sur Facebook).
- Hélène Baribeau et Marjolaine Mercier, *Ménager la chèvre et manger le chou*, Éditions La Semaine, Montréal, 2018, 186 p.
- « Le défi végane 21 jours » (ledefivegane21jours.com)
- Dr Mauricio Gonzalez (sur sa chaîne Youtube ou sur Facebook)
- Dr McDougall's (drmcdougall.com)
- Michael Greger, M.D. FACLM, NutritionFacts.org (nutritionfacts.org).
- T. Colin Campbell et Thomas M. Campbell II, *Le Rapport Campbell*, BenBella Books, 2016, 417 p.
- Documentaire « Forks Over Knives », réalisé par Lee Fulkerson, 2011, forksoverknives.com.

Éthique animale

- Aymeric Caron, *No steak*, Fayard, 2013, 360 p.
- Élise Desaulniers (edesaulniers.com et penseravantdouvrirlabouche.com)
- Jean-Baptiste Jeangène Vilmer, *Éthique animale*, Presses Universitaires de France, 2008, 306 p.
- Martin Gibert, *Voir son steak comme un animal mort : véganisme et psychologie morale*, Lux Éditeur, 2015, 256 p.
- Matthieu Ricard, *Plaidoyer pour les animaux*, Allary Editions, 2014, 300 p.
- Mélanie Joy, *Introduction au carnisme : pourquoi aimer les chiens, manger les cochons et se vêtir de vaches*, L'Âge d'Homme, 2016, 202 p.
- Peter Singer, *La libération animale*, Payot, 1975, 477 p.
- Mini-série « Éthique Animale », réalisée par Chuck Pepin et présentée par Carl Saucier-Bouffard, 2013. (Disponible sur Youtube)
- Documentaire « Empathy », réalisé par Ed Antoja, 2017, documentalempatia.com.
- Documentaire « La face cachée de la viande », réalisé par Érik Cimon, 2013 (disponible sur Youtube).
- Documentaire « Terriens », réalisé par Shaun Monson, 2005, earthlings.com.

Environnement

- Audrey Garric, Marianne Boyer, Elisa Bellanger et Mouna El Mokhtari, « 4 minutes pour comprendre le vrai poids de la viande sur l'environnement », *Le Monde.fr*, 2015, lemonde.fr.
- Jessica Bellarby, Bente Foereid, Astley Hastings and Pete Smith (University of Aberdeen), *Cool farming: Climate impacts of agriculture and mitigation potential, Greenpeace*, 2008, greenpeace.org.
- Environmental Working Group (ewg.org)
- Essai de Corinne Côté cité dans Camille Dauphinais-Pelletier, *La Tribune*, « Vaut mieux manger local ou végétal ? », 31 janvier 2018.

5 RECETTES DE BASE

Dans cette section, vous trouverez cinq recettes de base pour faciliter votre transition vers le véganisme. Certaines d'entre elles viennent de l'expérience de Jessie, qui a fait sa transition sur une plus longue période de temps et qui a appris à améliorer son style de vie. D'autres viennent de PH, qui a dû rapidement remplacer ses irremplaçables. Elles sont toutes très pratiques !

Œuf de lin

Pour remplacer un œuf dans une recette, utilisez des graines de lin moulues. Il suffit d'en laisser tremper 15 ml (1 c. à soupe) dans 45 ml (3 c. à soupe) d'eau environ 5 à 10 minutes.

Pâte à pâtisserie

750 ml (3 tasses) de farine tout usage

7,5 ml (½ c. à soupe) de sel

125 ml (½ tasse) de beurre végétal coupé en dés

250 ml (1 tasse) d'eau froide

7,5 ml (½ c. à soupe) de jus de citron (ou de sirop d'érable pour un goût plus sucré)

Dans un bol, mélanger la farine et le sel avec le beurre, jusqu'à ce que les dés de beurre soient de la taille de petits pois. Incorporer progressivement l'eau jusqu'à l'obtention d'une boule de pâte collante, mais pas trop lisse. Incorporer le jus de citron. Couper la boule en deux, puis envelopper chaque part dans une pellicule plastique et laisser reposer au moins deux heures au réfrigérateur.

Souvent concocté à partir d'huile, le beurre végétal est une option de choix pour remplacer le beurre ordinaire – à base de lait d'origine animale – ou la margarine, dont certaines marques renferment aussi des ingrédients issus des animaux. On le retrouve dans certaines épiceries ou dans les magasins d'aliments naturels.

Parmesan

45 ml (3 c. à soupe) de levure alimentaire en flocons

1,25 ml (¼ de c. à thé) de poudre d'ail

180 ml (¾ de tasse) de noix de cajou crues

2,5 ml (½ c. à thé) de sel (facultatif)

Déposer tous les ingrédients dans le contenant du robot culinaire et mélanger jusqu'à l'obtention d'une poudre.

Crème de soya

250 ml (1 tasse) de boisson de soya nature non sucrée

22,5 ml (1 ½ c. à soupe) d'huile d'olive

7,5 ml (½ c. à soupe) de sirop d'érable

5 ml (1 c. à thé) de vinaigre de cidre

Dans un bol, mélanger tous les ingrédients.

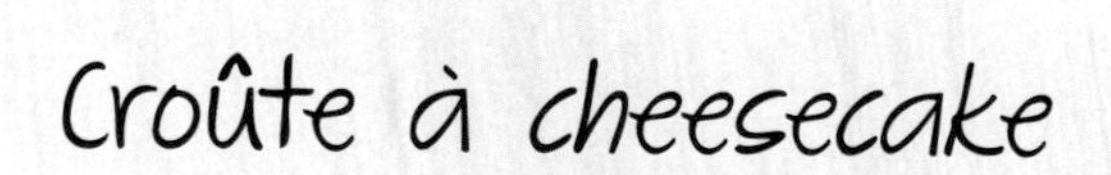

125 ml (½ tasse) de pacanes crues

125 ml (½ tasse) de farine d'amandes

2 dattes dénoyautées

30 ml (2 c. à soupe) d'huile de noix de coco

15 ml (1 c. à soupe) de cannelle

1 pincée de sel

Déposer tous les ingrédients dans le contenant du robot culinaire et mélanger jusqu'à l'obtention d'une préparation à la fois collante et granuleuse.

DÉJEUNERS

Pour les véganes, le déjeuner est très excitant, car c'est l'occasion de mettre de la couleur dans la journée, tout en assurant l'énergie nécessaire pour soutenir n'importe quel style de vie. Souvent, les déjeuners peuvent être préparés à l'avance, ce qui rend le tout encore plus pratique pour la vie qui va de plus en plus vite ! Comme on nous dit depuis que nous sommes tout petits, le déjeuner est le repas le plus important de la journée : raison de plus pour qu'il soit grandiose !

This Time,
Tech Resists
Scratching
Political Itch

Smoothie bowl pouding de chia au coco et framboises

PRÉPARATION 15 MINUTES | **RÉFRIGÉRATION** 30 MINUTES | **QUANTITÉ** 4 PORTIONS

Par portion : 464 calories ; protéines 7 g ; matières grasses 31 g ; glucides 43 g ; fibres 13 g ; fer 4 mg ; calcium 193 mg ; sodium 71 mg

POUR LE SMOOTHIE :

625 ml (2 ½ tasses) de lait de coco

375 ml (1 ½ tasse) de framboises surgelées

60 ml (¼ de tasse) de sirop d'érable

10 ml (2 c. à thé) d'extrait de vanille

½ lime (zeste)

90 ml (6 c. à soupe) de graines de chia blanches moulues

POUR LA GARNITURE :

250 ml (1 tasse) de framboises fraîches

2 kiwis tranchés

60 ml (¼ de tasse) de copeaux de noix de coco rôtis

1. Dans le contenant du mélangeur, déposer le lait de coco, les framboises pour le smoothie, le sirop d'érable, la vanille, le zeste de lime et les graines de chia. Émulsionner 1 minute, jusqu'à l'obtention d'une texture homogène.

2. Laisser reposer au frais 30 minutes.

3. Au moment de servir, répartir le smoothie dans quatre bols. Garnir de framboises, de kiwis et de copeaux de noix de coco.

« *La simple vision de ce smoothie est une raison de se lever le matin. En plus de pouvoir être préparé la veille ou même quelques jours d'avance, ce bol est un déjeuner nutritif qui permet d'avoir de l'énergie jusqu'au dîner. Pour une vie active et rapide, il n'y a rien de mieux !* »

– Jessie et PH

Smoothie vert qui goûte bon

PRÉPARATION 15 MINUTES | **QUANTITÉ** 4 PORTIONS

Par portion : 356 calories ; protéines 9 g ; matières grasses 8 g ; glucides 70 g ; fibres 8 g ; fer 3 mg ; calcium 511 mg ; sodium 214 mg

- 4 kiwis
- 2 petites bananes
- ½ melon miel
- 720 ml (environ 3 tasses) de boisson aux amandes nature enrichie
- 500 ml (2 tasses) de yogourt de soya à la vanille
- 750 ml (3 tasses) de bébés épinards
- 60 ml (¼ de tasse) de sirop d'érable
- 16 feuilles de menthe

1. Peler les kiwis, puis les couper en quartiers. Couper les bananes et le melon miel en morceaux.

2. Dans le contenant du mélangeur, déposer tous les ingrédients. Émulsionner 1 minute, jusqu'à l'obtention d'une texture homogène.

3. Si le smoothie est trop liquide, ajouter un peu de yogourt de soya. S'il n'est pas assez liquide, ajouter un peu de boisson aux amandes.

« *Lorsque je suis devenue végane, la grande tendance était aux jus verts. Souvent, ceux-ci sont très difficiles à avaler et on finit par passer à côté de leurs valeurs nutritives par peur du goût. Cette recette va à l'encontre de cette tendance. En ajoutant les kiwis, le melon miel et les bananes, la saveur en vaut le détour. Enfin, un jus vert que j'aime !* »

– Jessie

Gruau crémeux à la vanille

PRÉPARATION 10 MINUTES | **CUISSON** 4 MINUTES | **QUANTITÉ** 4 PORTIONS

Par portion (sans garniture) : 186 calories ; protéines 4 g ; matières grasses 6 g ; glucides 33 g ; fibres 4 g ; fer 1 mg ; calcium 304 mg ; sodium 163 mg

160 ml (⅔ de tasse) de flocons d'avoine à cuisson rapide

750 ml (3 tasses) de boisson aux amandes nature

60 ml (¼ de tasse) de sirop d'érable

10 ml (2 c. à thé) d'extrait de vanille

1 pincée de sel

30 ml (2 c. à soupe) de graines de chia

Beurre d'amande, bleuets, amandes et/ou chocolat noir au goût

1. Dans une casserole, déposer les flocons d'avoine, la boisson aux amandes, le sirop d'érable, la vanille et le sel. Cuire de 4 à 5 minutes à feu moyen.

2. Incorporer les graines de chia. Retirer du feu et laisser reposer de 2 à 3 minutes. Remuer.

3. Garnir le gruau de beurre d'amande, de bleuets, d'amandes et/ou de chocolat noir.

« *Le gruau m'aide à me sentir bien dans mon corps durant la journée. Il me remplit très bien jusqu'au dîner et me laisse un sentiment de bien-être. J'ai toujours l'impression de bien commencer la journée avec cette version à la vanille. En plus, elle est facilement modifiable au goût, avec l'ajout de seulement quelques ingrédients ! Servi avec des amandes, ce gruau est un chef-d'œuvre !* »

– Jessie

Smoothie ananas, fraises, mangue et coco

PRÉPARATION 15 MINUTES | **QUANTITÉ** 4 PORTIONS

Par portion: 246 calories; protéines 4 g; matières grasses 11 g; glucides 36 g; fibres 4 g; fer 2 mg; calcium 172 mg; sodium 69 mg

- 375 ml (1 ½ tasse) de boisson de soya à la vanille
- 310 ml (1 ¼ tasse) d'ananas coupé en cubes
- 310 ml (1 ¼ tasse) de fraises coupées en deux
- 300 g (⅔ de lb) de mangue surgelée en cubes
- 250 ml (1 tasse) de lait de coco
- 30 ml (2 c. à soupe) de sirop d'érable
- Yogourt de soya au choix et au goût

1. Dans le contenant du mélangeur, déposer tous les ingrédients, à l'exception du yogourt de soya. Émulsionner 1 minute, jusqu'à l'obtention d'une texture lisse et homogène.

2. Si le smoothie est trop liquide, ajouter un peu de yogourt de soya. S'il n'est pas assez liquide, ajouter un peu de boisson de soya.

« *Quand j'avais 5 ou 6 ans, j'ai demandé du jus d'ananas comme cadeau de fête. Comme de fait, mes parents m'en ont offert des litres et des litres. Encore aujourd'hui, l'ananas est mon fruit préféré et il était naturel qu'un tel smoothie se retrouve à l'intérieur de ce livre. Mélangé à des fraises et à de la mangue, c'est un délice! Et qu'est-ce qui n'est pas meilleur avec du lait de coco?* »

– PH

Smoothie bowl beurre d'arachide et banane caramélisée

PRÉPARATION 15 MINUTES | **QUANTITÉ** 4 PORTIONS

Par portion : 377 calories ; protéines 6 g ; matières grasses 19 g ; glucides 55 g ; fibres 6 g ; fer 1 mg ; calcium 145 mg ; sodium 124 mg

625 ml (2 ½ tasses) de bananes congelées coupées en rondelles

375 ml (1 ½ tasse) de boisson aux amandes nature non sucrée

60 ml (¼ de tasse) de beurre d'arachide

5 ml (1 c. à thé) d'extrait de vanille

3 dattes dénoyautées

POUR LA GARNITURE :

30 ml (2 c. à soupe) d'huile de noix de coco

1 banane mûre coupée en rondelles

250 ml (1 tasse) de bleuets

60 ml (¼ de tasse) de copeaux de noix de coco rôtis

1. Dans une poêle, chauffer l'huile de noix de coco à feu moyen. Faire caraméliser les rondelles de banane quelques minutes de chaque côté. Retirer du feu et laisser tiédir.

2. Dans le contenant du mélangeur, déposer les bananes congelées, la boisson aux amandes, le beurre d'arachide, la vanille et les dattes. Émulsionner 1 minute, jusqu'à l'obtention d'une texture homogène.

3. Répartir le smoothie dans quatre bols. Garnir de rondelles de banane caramélisées, de bleuets et de copeaux de noix de coco.

« *Le beurre d'arachide est le meilleur ami du végane. C'est également mon complément de déjeuner préféré. Jusqu'à tout récemment, mes déjeuners ne se constituaient presque que de toasts au beurre d'arachide avec des tranches de bananes. C'est pourquoi ce* smoothie bowl *est le mélange parfait pour moi. En plus du goût de coco, les bananes frites ajoutent une tout autre dimension au beurre d'arachide. Ce bol déjeuner est, pour moi, le déjeuner parfait !* »

– Jessie

Smoothie exotique version Zanzibar

PRÉPARATION 5 MINUTES | **QUANTITÉ** 4 PORTIONS

Par portion : 198 calories ; protéines 5 g ; matières grasses 3 g ; glucides 40 g ; fibres 6 g ; fer 1 mg ; calcium 101 mg ; sodium 36 mg

- 500 ml (2 tasses) de mangue surgelée en cubes
- 160 ml (⅔ de tasse) de jus d'orange
- 160 ml (⅔ de tasse) de yogourt de soya nature
- 160 ml (⅔ de tasse) de tofu soyeux mou nature (de type Sunrise)
- 30 ml (2 c. à soupe) de sirop d'érable
- 2 tranches d'ananas coupées en cubes
- 125 ml (½ tasse) de grains de fruits de la passion (facultatif)

1. Dans le contenant du mélangeur, déposer tous les ingrédients, à l'exception des grains de fruits de la passion. Émulsionner 1 minute, jusqu'à l'obtention d'une texture homogène.

2. Si le smoothie est trop liquide, ajouter un peu de yogourt de soya. S'il n'est pas assez liquide, ajouter un peu de jus d'orange.

3. Si désiré, garnir les smoothies de grains de fruits de la passion au moment de servir.

« *Qui dit smoothie dit fruits exotiques. Lorsque nous étions dans notre chambre sous l'eau, à Zanzibar, nous avions, tous les matins, un smoothie aux mangues et fruits de la passion fraîchement préparé et livré à notre chambre. Nous avons pris ce souvenir et l'avons introduit dans notre livre !* »

– Jessie et PH

Pancakes de sarrasin

PRÉPARATION 15 MINUTES | **CUISSON** 24 MINUTES | **QUANTITÉ** 4 PORTIONS (8 PANCAKES)

Par portion (2 pancakes): 305 calories; protéines 6 g; matières grasses 16 g; glucides 39 g; fibres 3 g; fer 2 mg; calcium 39 mg; sodium 533 mg

- 250 ml (1 tasse) de farine de sarrasin
- 30 ml (2 c. à soupe) de sucre
- 2,5 ml (½ c. à thé) de poudre à pâte
- 2,5 ml (½ c. à thé) de bicarbonate de soude
- 2,5 ml (½ c. à thé) de sel
- 250 ml (1 tasse) de lait de coco ou de boisson à l'avoine nature
- 30 ml (2 c. à soupe) de sirop d'érable
- 15 ml (1 c. à soupe) de beurre d'arachide
- 15 ml (1 c. à soupe) de jus de citron
- 15 ml (1 c. à soupe) d'huile végétale
- Sirop d'érable ou crème de coco fouettée au goût
- Petits fruits au goût

1. Dans un bol, mélanger la farine avec le sucre, la poudre à pâte, le bicarbonate de soude et le sel.

2. Dans un autre bol, mélanger le lait de coco avec le sirop d'érable, le beurre d'arachide et le jus de citron.

3. Incorporer graduellement les ingrédients secs aux ingrédients humides et remuer jusqu'à l'obtention d'une préparation homogène.

4. Dans une poêle, chauffer un peu d'huile à feu moyen. Verser 60 ml (¼ de tasse) de pâte par pancake. Cuire de 2 à 3 minutes, jusqu'à ce que des bulles se forment à la surface. Retourner, puis cuire 1 minute. Répéter avec le reste de la pâte.

5. Au moment de servir, garnir de sirop d'érable et de petits fruits.

« *Les pancakes sont un incontournable du déjeuner. Le problème est qu'habituellement, ils ne permettent pas de garder l'estomac plein bien longtemps. Depuis que je me fais des pancakes de sarrasin avant mes entraînements, mon niveau d'énergie reste beaucoup plus haut, beaucoup plus longtemps. En plus, ils sont aussi bons que ceux de mon souvenir, avant que je sois végane!* »

– PH

Tartine avocats et pois chiches

PRÉPARATION 15 MINUTES | **QUANTITÉ** 4 PORTIONS

Par portion : 314 calories ; protéines 8 g ; matières grasses 20 g ; glucides 30 g ; fibres 11 g ; fer 2 mg ; calcium 76 mg ; sodium 228 mg

2 avocats mûrs

125 ml (½ tasse) de pois chiches rincés et égouttés

15 ml (1 c. à soupe) d'huile d'olive

7,5 ml (½ c. à soupe) d'oignon vert haché

7,5 ml (½ c. à soupe) de jus de lime

3,75 ml (¼ de c. à soupe) de piment de Cayenne

Sel et poivre au goût

4 tranches de pain végane au choix

1. Dans un bol, écraser les avocats et les pois chiches à l'aide d'une fourchette.

2. Ajouter l'huile, l'oignon vert, le jus de lime et le piment de Cayenne. Saler, poivrer et remuer.

3. Faire griller les tranches de pain au grille-pain. Répartir la préparation aux avocats sur les tranches de pain.

« *La tartine à l'avocat est présente dans pratiquement tous les restaurants véganes et j'ai appris à apprécier sa fraîcheur par de chaudes matinées d'été. Par contre, comme déjeuner, il lui manque souvent un élément pour nous soutenir tout l'avant-midi. Cette version aux pois chiches est un combo savoureux très efficace. Un classique avec un petit "kick" !* »

– PH

Smoothie aux pamplemousses

PRÉPARATION 10 MINUTES | **QUANTITÉ** 4 PORTIONS

Par portion : 253 calories ; protéines 8 g ; matières grasses 4 g ; glucides 49 g ; fibres 6 g ; fer 2 mg ; calcium 314 mg ; sodium 85 mg

- 2 pamplemousses roses
- 500 ml (2 tasses) de boisson de soya nature enrichie
- 250 ml (1 tasse) de yogourt de soya à la vanille
- 250 ml (1 tasse) de framboises
- 250 ml (1 tasse) de cerises surgelées
- 60 ml (¼ de tasse) de sirop d'érable

1. Prélever les suprêmes des pamplemousses en coupant d'abord l'écorce à vif, puis en tranchant de chaque côté des membranes.

2. Dans le contenant du mélangeur, déposer tous les ingrédients. Émulsionner 1 minute, jusqu'à l'obtention d'une texture lisse et homogène.

3. Si le smoothie est trop liquide, ajouter un peu de yogourt de soya. S'il n'est pas assez liquide, ajouter un peu de boisson de soya.

« *Un smoothie rose ? Pourquoi pas ? Ce qui est génial avec ce smoothie aux pamplemousses, c'est que les framboises, les cerises et le sirop d'érable viennent neutraliser la saveur parfois trop acide du pamplemousse. Dans cette recette, il ne reste que le goût sucré du fruit qui nous fait toujours revenir. En plus, ce smoothie est magnifique à regarder !* »

– Jessie et PH

Gruau chocolat-banane

PRÉPARATION 15 MINUTES | **RÉFRIGÉRATION** 10 HEURES | **QUANTITÉ** 4 PORTIONS

Par portion : 322 calories ; protéines 10 g ; matières grasses 9 g ; glucides 55 g ; fibres 7 g ; fer 2 mg ; calcium 143 mg ; sodium 75 mg

500 ml (2 tasses) de flocons d'avoine à cuisson rapide

30 ml (2 c. à soupe) de cacao

5 ml (1 c. à thé) d'extrait de vanille

410 ml (1 ⅔ tasse) de boisson aux noisettes ou à l'avoine nature

2 petites bananes

30 ml (2 c. à soupe) de beurre d'arachide

1. Dans quatre bols ou pots Mason, répartir les flocons d'avoine, le cacao, la vanille et la boisson aux noisettes. Remuer. Réfrigérer 10 heures ou toute une nuit.

2. Au moment de servir, couper les bananes en rondelles.

3. Garnir les gruaux de rondelles de bananes et de beurre d'arachide.

« *Le combo choco-bananes a fait ses preuves dans plus d'une recette. Cependant, lorsqu'on s'en sert dans un dessert ou dans un brunch copieux, on perd un peu de vue la qualité première de ce combo ; il peut être bon pour la santé ! Ce gruau en est la preuve, car il est à la fois nutritif et optimal pour le corps. Tout le bon goût sans la culpabilité !* »

– Jessie et PH

Smoothie aux bananes

PRÉPARATION 5 MINUTES | **QUANTITÉ** 4 PORTIONS

Par portion : 213 calories ; protéines 7 g ; matières grasses 4 g ; glucides 38 g ; fibres 2 g ; fer 1 mg ; calcium 236 mg ; sodium 56 mg

1 paquet de tofu dessert à la banane (de type Sunrise) de 300 g

250 ml (1 tasse) de yogourt de soya à la vanille

250 ml (1 tasse) de boisson de soya nature

30 ml (2 c. à soupe) de sirop d'érable

2 bananes

1. Dans le contenant du mélangeur, déposer tous les ingrédients. Émulsionner 1 minute, jusqu'à l'obtention d'une texture homogène.

2. Si le smoothie est trop liquide, ajouter un peu de yogourt de soya. S'il n'est pas assez liquide, ajouter un peu de boisson de soya.

« *Le smoothie aux bananes est un classique. Lorsque je m'entraînais dix fois par semaine, j'avais souvent des problèmes de crampes dans les mollets. Lorsque j'ai commencé à déjeuner avec des smoothies aux bananes, j'ai arrêté de cramper dans la piscine. Cela m'a beaucoup aidé à travers mon secondaire et mon cégep. En plus, c'est délicieux !* »

– PH

Crêpes de mon père

PRÉPARATION 15 MINUTES | **CUISSON** 20 MINUTES | **QUANTITÉ** 4 PORTIONS (12 CRÊPES)

Par portion (3 crêpes) : 465 calories ; protéines 17 g ; matières grasses 19 g ; glucides 55 g ; fibres 5 g ; fer 5 mg ; calcium 259 mg ; sodium 416 mg

- 500 ml (2 tasses) de farine tout usage
- 2,5 ml (½ c. à thé) de sel
- 750 ml (3 tasses) de boisson végétale nature non sucrée au choix
- 7,5 ml (½ c. à soupe) d'extrait de vanille
- 60 ml (¼ de tasse) de beurre végétal fondu
- 30 ml (2 c. à soupe) d'huile de canola

1. Dans un bol, mélanger la farine avec le sel.

2. Dans un autre bol, mélanger la boisson végétale avec la vanille et le beurre fondu.

3. Incorporer délicatement les ingrédients secs aux ingrédients humides et remuer jusqu'à l'obtention d'une préparation homogène.

4. Dans une poêle, chauffer un peu d'huile à feu moyen. Verser 60 ml (¼ de tasse) de pâte par crêpe. Incliner la poêle dans tous les sens pour bien en couvrir le fond. Cuire jusqu'à ce que les rebords de la crêpe commencent à dorer. Retourner, puis cuire 1 minute. Répéter avec le reste de la pâte. Servir avec une tartinade chocolatée, des fruits ou du sirop d'érable.

« *Les crêpes sont la première chose que j'ai appris à cuisiner. Mon père avait une recette qu'il m'a apprise très jeune et, depuis, elle est un classique pour tous nos déjeuners du dimanche matin. En changeant d'alimentation, j'ai dû modifier la recette afin de garder la texture fine et le goût des crêpes de mon père. Je dois dire que c'est une mission réussie !* »

– PH

Smoothie chocolat et beurre d'amande

PRÉPARATION 5 MINUTES | **QUANTITÉ** 4 PORTIONS

Par portion : 301 calories ; protéines 10 g ; matières grasses 12 g ; glucides 38 g ; fibres 6 g ; fer 2 mg ; calcium 253 mg ; sodium 102 mg

- 330 ml (1 ⅓ tasse) de yogourt de soya nature
- 330 ml (1 ⅓ tasse) de boisson de soya nature enrichie
- 60 ml (¼ de tasse) de beurre d'amande
- 60 ml (¼ de tasse) de sirop d'érable
- 30 ml (2 c. à soupe) de cacao
- 2 bananes

1. Dans le contenant du mélangeur, déposer tous les ingrédients. Émulsionner 1 minute, jusqu'à l'obtention d'une texture homogène.

2. Si le smoothie est trop liquide, ajouter un peu de yogourt de soya. S'il n'est pas assez liquide, ajouter un peu de boisson de soya.

« *Voici un smoothie au chocolat qui est nutritif et bon pour vous. Parfait pour commencer la journée avec une bonne dose d'énergie, tout en ne négligeant pas le goût merveilleux du cacao. Vous n'aurez aucune difficulté à vous lever du lit avant votre cadran pour aller déguster votre déjeuner ! Qui n'aime pas le chocolat ?* »

– Jessie et PH

Frittata de pois chiches

PRÉPARATION 20 MINUTES | **CUISSON** 21 MINUTES | **QUANTITÉ** 4 PORTIONS

Par portion : 194 calories ; protéines 9 g ; matières grasses 6 g ; glucides 25 g ; fibres 5 g ; fer 3 mg ; calcium 45 mg ; sodium 1419 mg

- 375 ml (1 ½ tasse) de farine de pois chiches
- 11,25 ml (¾ de c. à soupe) de sel
- 7,5 ml (½ c. à soupe) de curcuma
- 7,5 ml (½ c. à soupe) d'origan séché
- 3,75 ml (¼ de c. à soupe) de poudre à pâte
- 375 ml (1 ½ tasse) d'eau
- 15 ml (1 c. à soupe) d'huile de cuisson au choix
- 1 brocoli haché
- 1 poivron rouge haché
- 250 ml (1 tasse) de bébés épinards émincés

1. Préchauffer le four à 205 °C (400 °F).

2. Dans un bol, mélanger la farine avec le sel, le curcuma, l'origan séché, la poudre à pâte et l'eau jusqu'à l'obtention d'une préparation sans grumeaux.

3. Dans une poêle allant au four, chauffer l'huile à feu moyen. Cuire le brocoli, le poivron et les bébés épinards de 1 à 2 minutes, jusqu'à ce qu'ils soient tendres.

4. Ajouter la préparation à la farine dans la poêle et remuer. Cuire au four de 20 à 25 minutes.

5. Servir avec du fromage végane, de la crème sure végane et/ou des fines herbes fraîches.

« *Un des déjeuners les plus simples et les plus efficaces est l'omelette. Elle nous offre des protéines et des légumes sans être trop compliquée et sans demander une maîtrise de la cuisine trop élaborée. Cette version véganisée a exactement les mêmes propriétés que l'omelette traditionnelle, sans le gras et le cholestérol présents dans les œufs et, bien sûr, avec le même bon goût. En plus, plus besoin de casser des œufs !* »

– Jessie

COLLATIONS

Il est encore difficile de trouver des collations véganes sur le pouce. Dans presque tous les cas, les muffins, croissants et barres tendres accessibles facilement ne sont pas véganes. C'est pour cette raison qu'il est nécessaire de maîtriser quelques bonnes collations véganes que l'on peut préparer en début de semaine ou un soir sans trop d'efforts. Que ce soit après un entraînement, en pause au bureau, comme « snack » de fin de soirée ou comme gâterie devant un film en amoureux, toutes les occasions sont bonnes pour les déguster !

Bretzels

PRÉPARATION 30 MINUTES | **TEMPS DE REPOS** 1 HEURE | **CUISSON** 18 MINUTES | **QUANTITÉ** 6 BRETZELS

Par portion : 230 calories ; protéines 8 g ; matières grasses 2 g ; glucides 42 g ; fibres 1 g ; fer 2 mg ; calcium 28 mg ; sodium 1763 mg

180 ml (¾ de tasse) de boisson de soya non sucrée à température ambiante

30 ml (2 c. à soupe) de sirop d'érable

60 ml (¼ de tasse) d'eau

10 ml (2 c. à thé) de sel

15 ml (1 c. à soupe) de levure instantanée à levée rapide

500 ml (2 tasses) de farine tout usage

30 ml (2 c. à soupe) de bicarbonate de soude

5 ml (1 c. à thé) de gros sel

POUR LA SAUCE MOUTARDE ET ÉRABLE :

45 ml (3 c. à soupe) de moutarde de Dijon

22,5 ml (1 ½ c. à soupe) de sirop d'érable

½ citron (jus)

1. Dans un petit bol, mélanger les ingrédients de la sauce. Réserver.

2. Dans le contenant du robot culinaire muni d'une lame à pétrir en plastique, verser la boisson de soya, le sirop d'érable, l'eau, le sel et la levure. Mélanger en ajoutant graduellement la farine jusqu'à l'obtention d'une boule de pâte.

3. Sur une surface farinée, pétrir la pâte 5 minutes.

4. Déposer la pâte dans un bol légèrement huilé et couvrir d'une pellicule plastique. Laisser reposer 1 heure dans un endroit chaud.

5. Au moment de la cuisson, préchauffer le four à 230 °C (450 °F).

6. Séparer la pâte en six parts. Façonner chacune des parts en un cylindre d'une longueur de 40 cm (15 ¾ po).

7. Avec chaque cylindre de pâte, former un « U ». Replier le cylindre en croisant les extrémités afin de créer une forme de bretzel. Sceller les extrémités des bretzels avec un peu d'eau.

8. Dans une grande casserole d'eau bouillante, verser le bicarbonate de soude. Cuire un bretzel à la fois 30 secondes. Assécher sur du papier absorbant.

9. Transférer les bretzels sur une plaque de cuisson tapissée de papier parchemin. Parsemer de gros sel. Presser légèrement pour que le sel adhère à la pâte.

10. Cuire au four de 15 à 20 minutes, jusqu'à ce que les bretzels soient dorés. Servir avec la sauce.

« Notre collation idéale pour écouter un film en amoureux ! On peut sentir l'odeur merveilleuse partout dans l'appartement et, à ce moment précis, on sait que c'est la soirée cinéma qui commence. La mémoire sensorielle y est pour beaucoup, et nous nous assurons de multiplier les occasions d'y faire appel. Rares sont les bretzels qui survivent à cette soirée… »

– Jessie et PH

Boules sans fond

PRÉPARATION 15 MINUTES | **QUANTITÉ** 20 BOULES

Par portion (1 boule) : 78 calories ; protéines 2 g ; matières grasses 4 g ; glucides 9 g ; fibres 2 g ; fer 0 mg ; calcium 13 mg ; sodium 44 mg

- 125 ml (½ tasse) de dattes dénoyautées (Medjool, de préférence)
- 60 ml (¼ de tasse) de sirop d'érable
- 2,5 ml (½ c. à thé) d'extrait de vanille
- 125 ml (½ tasse) de beurre d'amande
- 60 ml (¼ de tasse) de cacao
- 125 ml (½ tasse) de bretzels broyés

1. Dans un bol allant au micro-ondes, déposer les dattes. Chauffer les dattes de 10 à 20 secondes au micro-ondes afin de les ramollir.

2. Dans le contenant du robot culinaire, déposer les dattes, le sirop d'érable, la vanille, le beurre d'amande et le cacao. Mélanger jusqu'à l'obtention d'une préparation lisse et crémeuse, en ajoutant de l'eau au besoin.

3. Façonner 20 boules en utilisant environ 15 ml (1 c. à soupe) de préparation pour chacune d'elles.

4. Déposer les bretzels broyés dans une assiette creuse. Rouler les boules dans les bretzels broyés.

5. Déposer les boules sur une plaque. Placer au congélateur jusqu'à ce que les boules se tiennent bien. Ces boules se conservent au réfrigérateur.

« *Attention avec ces boules : il s'agit d'une recette qui tend à disparaître aussitôt qu'elle est faite ! Il est pratique de doubler les portions afin d'en avoir assez pour manger comme collation ! Heureusement pour nous tous, il s'agit de boules qui sont plutôt nutritives, alors elles savent nous remplir adéquatement. Vous verrez, elles se mangent toutes seules !* »

– Jessie et PH

Mini-pains de tempeh

PRÉPARATION 15 MINUTES | **CUISSON** 24 MINUTES | **QUANTITÉ** 10 MUFFINS

Par portion: 155 calories; protéines 7 g; matières grasses 8 g; glucides 15 g; fibres 4 g; fer 3 mg; calcium 91 mg; sodium 158 mg

1 paquet de tempeh de 240 g

15 ml (1 c. à soupe) d'huile d'olive

3 gousses d'ail hachées finement

2 échalotes sèches (françaises) hachées finement

60 ml (¼ de tasse) de poivron rouge haché finement

45 ml (3 c. à soupe) de pâte de tomates

30 ml (2 c. à soupe) de sauce Worcestershire végane

2,5 ml (½ c. à thé) d'origan séché

2,5 ml (½ c. à thé) de thym séché

Sel au goût

2 œufs de lin (voir page 24)

125 ml (½ tasse) de flocons d'avoine

125 ml (½ tasse) de graines de tournesol

60 ml (¼ de tasse) de persil haché

POUR LE KETCHUP:

30 ml (2 c. à soupe) de pâte de tomates

30 ml (2 c. à soupe) de sirop d'érable

1. Préchauffer le four à 190 °C (375 °F).

2. Dans le contenant du robot culinaire, hacher le tempeh.

3. Dans une grande poêle, chauffer l'huile d'olive à feu moyen. Cuire l'ail, les échalotes et le poivron de 1 à 2 minutes.

4. Dans un bol, mélanger le tempeh haché avec la pâte de tomates, les légumes cuits, la sauce Worcestershire, l'origan, le thym et le sel.

5. Ajouter les œufs de lin et remuer.

6. Ajouter les flocons d'avoine, les graines de tournesol et le persil. Remuer.

7. Dans un autre bol, mélanger les ingrédients du ketchup.

8. Répartir la préparation au tempeh dans dix alvéoles d'un moule à muffins en silicone ou dans de petits moules à pain rectangulaires huilés. Badigeonner les mini-pains de ketchup.

9. Cuire au four de 23 à 25 minutes. Retirer du four et laisser refroidir, puis démouler.

« *Quand je pense tempeh, je ne pense pas nécessairement collation. Mais pourquoi pas? C'est toujours bon, frais et ça se tient merveilleusement bien. Si vous avez l'habitude de vous salir avec de la nourriture, comme c'est mon cas, ne craignez rien, les pains de tempeh resteront dans vos mains… ou dans votre bouche!* »

– Jessie

Muffins citron-pavot

PRÉPARATION 15 MINUTES | **CUISSON** 20 MINUTES | **QUANTITÉ** 10 MUFFINS

Par portion: 213 calories; protéines 5 g; matières grasses 9 g; glucides 30 g; fibres 2 g; fer 2 mg; calcium 57 mg; sodium 299 mg

- 500 ml (2 tasses) de farine tout usage
- 10 ml (2 c. à thé) de poudre à pâte
- 2,5 ml (½ c. à thé) de bicarbonate de soude
- 45 ml (3 c. à soupe) de graines de pavot ou de chia
- 2,5 ml (½ c. à thé) d'extrait de vanille
- 125 ml (½ tasse) de cassonade
- 2,5 ml (½ c. à thé) de sel
- 80 ml (⅓ de tasse) de beurre végétal fondu
- 1 citron (jus et zeste)
- 250 ml (1 tasse) de boisson de soya nature
- 5 ml (1 c. à thé) de vinaigre de cidre

1. Préchauffer le four à 180 °C (350 °F).

2. Dans un bol, mélanger la farine avec la poudre à pâte, le bicarbonate de soude, les graines de pavot, la vanille, la cassonade et le sel.

3. Dans un autre bol, mélanger le beurre fondu avec le jus de citron, les zestes, la boisson de soya et le vinaigre de cidre.

4. Incorporer la préparation liquide aux ingrédients secs et remuer jusqu'à l'obtention d'une préparation homogène.

5. Huiler dix alvéoles d'un moule à muffins, puis y répartir la pâte. Cuire au four de 20 à 22 minutes, jusqu'à ce qu'un cure-dent inséré au centre d'un muffin en ressorte propre.

« *En termes de muffins, ceux-ci sont un classique. Mais les muffins ne sont que très rarement véganes. Le muffin au pavot était mon préféré avant ma transition, et c'est pourquoi j'ai insisté pour qu'une recette "véganisée" se retrouve dans ce livre. Le petit côté croquant des graines de pavot est irrésistible! Ces muffins sont parfaits pour une journée remplie et active!* »

– Jessie

Barres de riz sucrées

PRÉPARATION 15 MINUTES | **CONGÉLATION** 30 MINUTES | **QUANTITÉ** 16 BARRES

Par portion : 204 calories ; protéines 3 g ; matières grasses 14 g ; glucides 14 g ; fibres 3 g ; fer 2 mg ; calcium 23 mg ; sodium 60 mg

60 ml (¼ de tasse) de dattes dénoyautées (Medjool, de préférence)

160 ml (⅔ de tasse) de beurre d'amande

80 ml (⅓ de tasse) d'huile de noix de coco fondue

60 ml (¼ de tasse) de sirop d'érable

1 pincée de sel

750 ml (3 tasses) de céréales de riz soufflé (de type Rice Krispies)

60 ml (¼ de tasse) d'amandes hachées

125 ml (½ tasse) de chocolat noir 70 % haché

1. Dans un bol allant au micro-ondes, déposer les dattes. Chauffer les dattes de 10 à 20 secondes au micro-ondes afin de les ramollir.

2. Dans le contenant du robot culinaire, déposer les dattes, le beurre d'amande, l'huile de noix de coco, le sirop d'érable et le sel. Mélanger jusqu'à l'obtention d'une texture lisse et crémeuse, en ajoutant de l'eau au besoin.

3. Dans un grand bol, déposer les céréales de riz et les amandes. Ajouter la préparation au beurre d'amande et remuer.

4. Tapisser un moule carré de 20 cm (8 po) de papier parchemin, puis y déposer la préparation. Égaliser la surface en pressant.

5. Dans un bain-marie, faire fondre le chocolat noir.

6. Verser le chocolat fondu sur le mélange. Placer au congélateur 30 minutes.

« *Je croyais ne plus jamais retrouver le bon goût des carrés Rice Krispies de ma mère. Je me levais dans la nuit, en sueur, lorsque j'y pensais. Mais heureusement, nous avons trouvé une façon de remplacer cette collation classique avec une recette végane. En plus de recréer la texture et la saveur de base, nous ajoutons du goût grâce au mélange sucré-salé. Ces barres peuvent aussi être servies en dessert, mais une petite gâterie durant la journée ne fait jamais de tort !* »

– PH

Boules d'énergie aux raisins secs

PRÉPARATION 15 MINUTES | **QUANTITÉ** 20 BOULES

Par portion (1 boule) : 77 calories ; protéines 2 g ; matières grasses 2 g ; glucides 17 g ; fibres 3 g ; fer 1 mg ; calcium 33 mg ; sodium 11 mg

POUR LES BOULES :

- 500 ml (2 tasses) de raisins secs
- 60 ml (¼ de tasse) de graines de lin moulues
- 60 ml (¼ de tasse) de graines de chia moulues
- 60 ml (¼ de tasse) de cacao
- 30 ml (2 c. à soupe) de sirop d'érable
- 2 citrons (zeste)
- 1 pincée de sel

POUR L'ENROBAGE :

- 125 ml (½ tasse) de cacao

1. Dans le contenant du robot culinaire, déposer les ingrédients pour les boules. Mélanger jusqu'à l'obtention d'une boule de pâte.

2. Façonner 20 boules en utilisant environ 15 ml (1 c. à soupe) de préparation pour chacune d'elles.

3. Déposer le cacao dans une assiette creuse. Rouler les boules dans le cacao.

« *Les boules d'énergie sont une collation classique et facile à trimballer. Quand je compétitionnais, entre mes épreuves, je mangeais toujours une ou deux boules. Ça me permettait de garder un bon niveau d'énergie sur une longue période de temps. La beauté de la chose, c'est que déjà à l'époque, ma recette était 100 % végane ! Ne vous inquiétez pas, ça fonctionne aussi pour d'autres sports que la natation… comme le ping-pong, entre autres !* »

– PH

SOUPES

Et si on pouvait prendre tout ce dont on a besoin pour un repas équilibré et simplement le mettre dans un bol avant de le manger ? Ça tombe bien, c'est exactement de cette façon qu'on fait de la soupe ! Nous avons tous une partie de nous qui ne veut pas faire trop de vaisselle : optez pour une soupe, et vous réglerez le problème !

Soupe au quinoa et légumes

PRÉPARATION 20 MINUTES | **CUISSON** 20 MINUTES | **QUANTITÉ** 4 PORTIONS

Par portion : 256 calories ; protéines 14 g ; matières grasses 9 g ; glucides 31 g ; fibres 3 g ; fer 5 mg ; calcium 182 mg ; sodium 1900 mg

- 30 ml (2 c. à soupe) de tamari
- 150 g (⅓ de lb) de tofu ferme coupé en petits cubes
- 500 ml (2 tasses) de chou kale
- 15 ml (1 c. à soupe) d'huile de canola
- 1 gousse d'ail hachée
- 1 petit oignon haché
- 1 litre (4 tasses) de bouillon de légumes
- 125 ml (½ tasse) de quinoa, rincé et égoutté
- Piment de Cayenne au goût
- Sel et poivre au goût
- 1 boîte de tomates en dés de 796 ml (ou 500 ml – 2 tasses de tomates entières coupées en dés)

1. Dans un bol, mélanger le tamari avec les cubes de tofu. Réserver.

2. Laver et essorer les feuilles de chou kale, puis les égoutter avec un linge. Tailler les feuilles en lanières. Réserver.

3. Dans une casserole, chauffer l'huile à feu moyen. Cuire l'ail et l'oignon 2 minutes jusqu'à ce que l'oignon soit translucide, mais sans laisser colorer.

4. Ajouter le bouillon de légumes, le quinoa et le piment de Cayenne. Saler et poivrer. Porter à ébullition, puis couvrir et laisser mijoter 15 minutes à feu doux.

5. Ajouter le chou kale, le tofu et les tomates en dés. Poursuivre la cuisson 3 minutes à feu doux.

« *Cette soupe est l'une des soupes les plus nutritives que vous puissiez cuisiner. En plus du quinoa, qui est une excellente source de fibres et qui contient tous les acides aminés essentiels, nous ajoutons le kale. Celui-ci est le superaliment par excellence. Une soupe qui est extrêmement nourrissante et si simple à préparer !* »

– Jessie et PH

Soupe aux tomates rôties

PRÉPARATION 25 MINUTES | **CUISSON** 30 MINUTES | **QUANTITÉ** 4 PORTIONS

Par portion : 182 calories ; protéines 3 g ; matières grasses 12 g ; glucides 16 g ; fibres 3 g ; fer 1 mg ; calcium 49 mg ; sodium 891 mg

4 tomates italiennes coupées en deux

500 ml (2 tasses) de tomates cerises coupées en deux

5 gousses d'ail écrasées

3 branches de thym

30 ml (2 c. à soupe) d'huile d'olive

Sel et poivre au goût

½ oignon haché finement

1 carotte coupée en dés

30 ml (2 c. à soupe) de pâte de tomates

750 ml (3 tasses) de bouillon de légumes

80 ml (⅓ de tasse) de basilic haché

100 ml (⅓ de tasse + 4 c. à thé) de préparation crémeuse au soya (de type Belsoy) ou de lait de coco

1. Préchauffer le four à 205 °C (400 °F).

2. Sur une plaque de cuisson tapissée de papier parchemin, déposer les tomates, l'ail et le thym. Arroser de la moitié de l'huile d'olive. Saler et poivrer. Cuire au four de 20 à 25 minutes, jusqu'à ce que les tomates soient rôties.

3. Pendant ce temps, chauffer le reste de l'huile d'olive à feu moyen dans une casserole. Cuire l'oignon et la carotte de 8 à 10 minutes, jusqu'à ce que les légumes soient tendres.

4. Une fois les tomates cuites, retirer le thym de la plaque. Déposer la préparation aux tomates confites dans la casserole. Ajouter la pâte de tomates et le bouillon de légumes. Saler et poivrer. Porter à ébullition, puis laisser mijoter 10 minutes.

5. Ajouter le basilic et remuer. Retirer du feu.

6. À l'aide du mélangeur-plongeur, émulsionner la préparation 1 minute, jusqu'à l'obtention d'une texture lisse.

7. Incorporer la préparation crémeuse au soya et réchauffer la soupe à feu doux. Rectifier l'assaisonnement au besoin.

« Saviez-vous que pour maximiser les effets des tomates, il est nécessaire de les cuire plus de cinq minutes ? Cela permet aux caroténoïdes de s'activer, et les tomates atteignent ainsi leur plein potentiel. Et quoi de plus facile que de les faire rôtir ? Parfait pour ceux qui, comme moi, ne veulent pas se casser la tête pour manger santé ! »

– Jessie

Soupe au chou-fleur et panais

PRÉPARATION 20 MINUTES | **CUISSON** 40 MINUTES | **QUANTITÉ** 4 PORTIONS

Par portion : 375 calories ; protéines 8 g ; matières grasses 19 g ; glucides 37 g ; fibres 6 g ; fer 1 mg ; calcium 83 mg ; sodium 930 mg

- 1 chou-fleur de 400 g (environ 1 lb) coupé en petits bouquets
- 3 à 4 gros panais pelés et coupés en dés
- 3 gousses d'ail pelées
- 45 ml (3 c. à soupe) de beurre végétalien fondu
- 30 ml (2 c. à soupe) de sirop d'érable
- 100 ml (⅓ de tasse + 4 c. à thé) de vin blanc
- 800 ml (environ 3 ¼ tasses) de bouillon de légumes
- Sel et poivre au goût
- 310 ml (1 ¼ tasse) de préparation crémeuse au soya (de type Belsoy)
- Pistaches hachées au goût
- Coriandre hachée au goût

1. Préchauffer le four à 205 °C (400 °F).

2. Sur une plaque de cuisson tapissée de papier parchemin, déposer le chou-fleur, les panais et l'ail. Arroser de beurre végétalien fondu et de sirop d'érable. Cuire au four de 40 à 50 minutes en remuant de temps en temps, jusqu'à ce que les légumes soient cuits.

3. Transférer les légumes dans une grande casserole, puis y ajouter le vin et le bouillon de légumes. Saler et poivrer. Porter à ébullition.

4. Retirer du feu. À l'aide du mélangeur-plongeur, émulsionner la préparation 1 minute, jusqu'à l'obtention d'une texture lisse. Ajouter la préparation crémeuse au soya et émulsionner de nouveau.

5. Remettre la casserole sur le feu et réchauffer à feu doux. Rectifier l'assaisonnement au besoin.

6. Au moment de servir, garnir de pistaches et de coriandre.

« *Une soupe crémeuse pour les jours froids d'hiver ! Ce n'est pas parce qu'on dit adieu aux produits laitiers qu'on ne peut trouver le réconfort dans la texture. Cette recette en est le parfait exemple, alors qu'on remplace le gras des produits laitiers par les vitamines et les nutriments du chou-fleur et du panais. Laissez-vous réconforter !* »

– PH

Dhal de lentilles rouges

PRÉPARATION 15 MINUTES | **CUISSON** 25 MINUTES | **QUANTITÉ** 4 PORTIONS

Par portion : 280 calories ; protéines 18 g ; matières grasses 2 g ; glucides 50 g ; fibres 9 g ; fer 6 mg ; calcium 46 mg ; sodium 7 mg

375 ml (1 ½ tasse) de lentilles rouges ou corail sèches

7,5 ml (½ c. à soupe) de gingembre râpé

5 ml (1 c. à thé) de coriandre moulue

5 ml (1 c. à thé) de poudre d'oignons

2,5 ml (½ c. à thé) de cumin

2,5 ml (½ c. à thé) de curcuma

2,5 ml (½ c. à thé) de poudre d'ail

Sel de mer au goût

15 ml (1 c. à soupe) de jus de citron

15 ml (1 c. à soupe) de feuilles de coriandre

1. À l'aide d'une passoire fine, rincer les lentilles à l'eau froide. Égoutter, puis déposer les lentilles dans une casserole avec 1 litre (4 tasses) d'eau froide. Porter à ébullition.

2. Réduire le feu à doux et ajouter le gingembre. Remuer. Couvrir et laisser mijoter de 15 à 20 minutes, jusqu'à ce que les lentilles soient tendres.

3. Ajouter les épices et les assaisonnements. Poursuivre la cuisson 10 minutes. Au besoin, ajouter de l'eau pour obtenir une consistance de soupe (ou laisser tel quel afin d'obtenir une préparation plus consistante pour servir sur du riz, par exemple).

4. Au moment de servir, arroser de jus de citron et garnir de feuilles de coriandre.

« *Ma mère a plusieurs spécialités, mais les soupes demeurent ce dans quoi elle excelle le plus. Parmi celles-ci se retrouvent d'innombrables recettes qu'elle juge, chaque fois, être "sa meilleure". Le dhal de lentilles fait partie de cette sélection. C'est en son honneur que nous vous proposons notre version de ce classique indien. Aussi bonne chaude que froide !* »

– PH

Soupe crémeuse à la mexicaine

PRÉPARATION 15 MINUTES | **CUISSON** 10 MINUTES | **QUANTITÉ** 4 PORTIONS

Par portion: 292 calories; protéines 9 g; matières grasses 10 g; glucides 44 g; fibres 6 g; fer 4 mg; calcium 213 mg; sodium 1143 mg

1 boîte de tomates en dés de 540 ml

1 boîte de crème de tomate condensée de 284 ml

2,5 ml (½ c. à thé) de cumin

15 ml (1 c. à soupe) d'ail haché

½ boîte de haricots noirs de 540 ml, rincés et égouttés

250 ml (1 tasse) de macédoine de légumes surgelée, décongelée

30 ml (2 c. à soupe) de préparation crémeuse au soya (de type Belsoy)

250 ml (1 tasse) de mozzarella végane râpée

POUR LE CONCASSÉ D'AVOCATS:

2 avocats pelés et coupés en dés

30 ml (2 c. à soupe) de jus de lime

30 ml (2 c. à soupe) de coriandre hachée

5 ml (1 c. à thé) de piment d'Espelette ou de paprika

1 pincée de fleur de sel

1. Dans une grande casserole, porter à ébullition les tomates en dés avec la crème de tomate, 125 ml (½ tasse) d'eau, le cumin et l'ail en remuant de temps en temps.

2. Ajouter les haricots noirs et la macédoine de légumes. Remuer. Laisser mijoter de 5 à 7 minutes.

3. Pendant ce temps, mélanger les ingrédients du concassé d'avocats dans un bol.

4. Répartir la soupe dans les bols. Garnir chaque portion de préparation crémeuse au soya, de mozzarella végane et de concassé d'avocats.

« *Je suis allée plusieurs fois au Mexique: pour un échange étudiant, pour un voyage humanitaire et pour y passer des vacances à la plage. Ces voyages ont marqué mon "initiation" aux plats épicés. Depuis, j'essaie d'introduire de plus en plus de piquant dans mon alimentation, bien qu'avec parcimonie. Il n'était pas question de faire un livre de recettes sans quelques mets à la mexicaine!* »

– Jessie

Potage au chou-fleur

PRÉPARATION 20 MINUTES | **CUISSON** 20 MINUTES | **QUANTITÉ** 4 PORTIONS

Par portion : 175 calories ; protéines 7 g ; matières grasses 10 g ; glucides 18 g ; fibres 4 g ; fer 4 mg ; calcium 175 mg ; sodium 659 mg

- 1,25 litre (5 tasses) de chou-fleur coupé en dés
- 250 ml (1 tasse) de carottes coupées en dés
- 1 oignon haché
- 500 ml (2 tasses) de bouillon de légumes ou de poulet végétalien
- 375 ml (1 ½ tasse) de boisson de soya nature non sucrée
- 250 ml (1 tasse) de lait de coco
- Sel et poivre au goût
- Piment de Cayenne au goût
- Quelques feuilles de coriandre (facultatif)

1. Dans une grande casserole, déposer le chou-fleur, les carottes, l'oignon, le bouillon de légumes, la boisson de soya et 180 ml (¾ de tasse) de lait de coco. Porter à ébullition, puis couvrir et laisser mijoter de 20 à 25 minutes. Saler et poivrer. Assaisonner de piment de Cayenne.

2. Transvider la préparation dans le contenant du mélangeur électrique. Émulsionner 1 minute.

3. Au moment de servir, garnir la soupe du reste du lait de coco et, si désiré, de feuilles de coriandre.

« *Contrairement à la soupe crémeuse au chou-fleur et panais de la page 80, ce potage, tout aussi crémeux et bon, peut se servir refroidi avec de la coriandre fraîche afin de pouvoir être mangé durant une journée plus chaude. Un petit peu de jus de lime pour rehausser les saveurs, et le tour est joué ! En plus, il est magnifique !* »

– Jessie

Potage à la patate douce

PRÉPARATION 15 MINUTES | **CUISSON** 47 MINUTES | **QUANTITÉ** 4 PORTIONS

Par portion: 273 calories; protéines 4 g; matières grasses 18 g; glucides 26 g; fibres 5 g; fer 1 mg; calcium 65 mg; sodium 1137 mg

- 15 ml (1 c. à soupe) d'huile d'olive
- 1 gros oignon haché
- 450 g (1 lb) de patates douces coupées en cubes (environ 2 patates moyennes)
- 3 carottes coupées en cubes
- ½ citron (zeste et jus)
- 15 ml (1 c. à soupe) de feuilles de coriandre
- 1 litre (4 tasses) de bouillon de légumes
- Sel et poivre au goût

POUR LA GARNITURE:

- 125 ml (½ tasse) de pacanes hachées
- Quelques feuilles de thym
- 60 ml (¼ de tasse) de préparation crémeuse au soya (de type Belsoy)

1. Dans une casserole, chauffer l'huile à feu moyen. Cuire l'oignon de 2 à 3 minutes jusqu'à ce qu'il soit translucide, sans laisser colorer.

2. Ajouter les patates douces et les carottes. Poursuivre la cuisson de 5 à 8 minutes à feu doux, en remuant quelques fois.

3. Ajouter le zeste et le jus de citron, la coriandre et le bouillon. Saler et poivrer. Porter à ébullition, puis couvrir et laisser mijoter 40 minutes à feu moyen, jusqu'à ce que les légumes soient tendres.

4. Transvider la préparation dans le contenant du mélangeur électrique. Émulsionner jusqu'à l'obtention d'une préparation lisse et onctueuse.

5. Répartir le potage dans les bols. Garnir chaque portion de pacanes, de thym et d'un trait de préparation crémeuse au soya.

« *Plusieurs ont tendance à démoniser les patates, principalement ceux qui sont "contre" les hydrates de carbone (les glucides). La réalité est que la patate est l'un des seuls aliments qui contient tous les nutriments pour soutenir l'humain à lui seul. La patate douce, elle, possède toutes les qualités de la patate, en plus d'avoir un goût plus sucré. Et elle se cuisine tellement bien en potage!* »

– Jessie et PH

Soupe aux gourganes du Lac

PRÉPARATION 20 MINUTES | **CUISSON** 2 HEURES | **QUANTITÉ** 4 PORTIONS

Par portion : 417 calories ; protéines 21 g ; matières grasses 5 g ; glucides 75 g ; fibres 16 g ; fer 5 mg ; calcium 104 mg ; sodium 2 305 mg

- 15 ml (1 c. à soupe) d'huile végétale
- 1 grosse pomme de terre coupée en cubes
- 3 litres (12 tasses) de bouillon de légumes
- 1 litre (4 tasses) de gourganes
- 180 ml (¾ de tasse) d'orge perlé
- 180 ml (¾ de tasse) de carottes coupées en petits cubes
- 180 ml (¾ de tasse) de céleri coupé en petits cubes
- 125 ml (½ tasse) de navet coupé en petits cubes
- 1,25 ml (¼ de c. à thé) de paprika fumé doux
- 1 oignon haché
- 180 ml (¾ de tasse) de feuilles de betteraves hachées
- 125 ml (½ tasse) de persil haché
- 180 ml (¾ de tasse) de haricots jaunes coupés en tronçons

1. Dans une grande casserole, chauffer l'huile végétale à feu moyen. Cuire la pomme de terre de 3 à 5 minutes.

2. Ajouter le reste des ingrédients, à l'exception des feuilles de betteraves, du persil et des haricots. Couvrir et porter à ébullition. Réduire le feu à doux et laisser mijoter 1 heure 30 minutes.

3. Ajouter le reste des ingrédients et laisser mijoter 30 minutes.

« Un autre classique de ma mère. Celui-ci, par contre, est d'adoption. Lorsque mes parents ont déménagé au Saguenay pour y commencer leur vie familiale, ma mère n'a eu d'autre choix que d'élaborer une recette de la fameuse soupe aux gourganes du Lac. En voici le résultat (véganisé, bien sûr !). Cette soupe est dans mon ADN ! »

– PH

REPAS LÉGERS

L'un des avantages majeurs du véganisme est la possibilité de manger à satiété sans se sentir lourd. En cuisinant un repas léger pour le midi, nous nous sentons bien jusqu'au souper, et ce, sans compromettre les valeurs nutritives de nos repas. Ces repas peuvent très bien se savourer n'importe où, que vous travailliez à l'extérieur, au bureau ou à la maison, Voici nos meilleures recettes pour se sentir plein, mais léger !

Grilled cheese

PRÉPARATION 20 MINUTES | **TREMPAGE** 30 MINUTES | **CUISSON** 18 MINUTES | **QUANTITÉ** 4 PORTIONS

Par portion: 403 calories; protéines 14 g; matières grasses 15 g; glucides 56 g; fibres 9 g; fer 4 mg; calcium 144 mg; sodium 993 mg

- 125 ml (½ tasse) de noix de cajou
- 2 pommes de terre épluchées et tranchées
- 2 carottes épluchées et tranchées
- 1 oignon rouge finement haché
- 60 ml (¼ de tasse) de lait de coco
- 30 ml (2 c. à soupe) de levure alimentaire
- 15 ml (1 c. à soupe) de jus de citron
- 5 ml (1 c. à thé) de sel
- 1,25 ml (¼ de c. à thé) de poudre d'ail
- 8 tranches de pain végane
- 15 ml (1 c. à soupe) d'huile d'olive ou de beurre végétal

1. Dans un bol, déposer les noix de cajou, puis couvrir de 60 ml (¼ de tasse) d'eau. Laisser tremper 30 minutes.

2. Dans une casserole d'eau bouillante salée, cuire les pommes de terre, les carottes et l'oignon rouge 15 minutes.

3. Dans le contenant du mélangeur, déposer les noix de cajou et leur eau de trempage, le lait de coco, la levure, le jus de citron, le sel et la poudre d'ail. Émulsionner 30 secondes, jusqu'à l'obtention d'une crème lisse.

4. Bien égoutter les légumes, puis les ajouter dans le contenant du mélangeur. Émulsionner 1 minute, jusqu'à l'obtention d'un mélange lisse.

5. Étaler la préparation aux noix de cajou sur quatre tranches de pain. Couvrir avec les tranches de pain restantes.

6. Dans une poêle, chauffer l'huile à feu moyen. Faire griller les sandwichs de 2 à 3 minutes. Tourner les sandwichs et cuire de 1 à 2 minutes. La préparation aux noix de cajou se conserve au réfrigérateur.

« Lorsque j'étais petit, j'adorais manger des "grilled beurre de peanuts". C'était ma version sans fromage de ce classique. Comme je n'ai jamais aimé le fromage, c'était un plaisir de découvrir que les options végétales ne me répugnaient pas du tout. Au contraire, elles m'interpellaient. Cette version ne sacrifie pas la texture du grilled cheese standard, mais est faite sans produits laitiers! »

-PH

Bol de tofu croustillant

PRÉPARATION 15 MINUTES | **CUISSON** 20 MINUTES | **QUANTITÉ** 4 PORTIONS

Par portion : 546 calories ; protéines 26 g ; matières grasses 26 g ; glucides 50 g ; fibres 5 g ; fer 5 mg ; calcium 271 mg ; sodium 209 mg

- 250 ml (1 tasse) de quinoa, rincé et égoutté
- 500 ml (2 tasses) d'eau
- Sel et poivre au goût
- 4 bok choys
- 1 petit brocoli coupé en bouquets
- 1 paquet de tofu ferme de 454 g
- 60 ml (¼ de tasse) de vinaigre de vin rouge (ou de vinaigre de cidre de pomme)
- 60 ml (¼ de tasse) de sauce douce aux piments (de type A Taste of Thaï)
- 15 ml (1 c. à soupe) d'huile d'olive
- ½ oignon rouge tranché finement
- 1 concombre épépiné et coupé en demi-rondelles
- 45 ml (3 c. à soupe) de fécule de maïs
- 30 ml (2 c. à soupe) d'huile végétale
- 30 ml (2 c. à soupe) de noix de cajou grillées
- Feuilles de coriandre ou persil au goût

1. Dans une casserole, déposer le quinoa et l'eau. Saler et poivrer. Porter à ébullition, puis laisser mijoter à feu doux de 18 à 20 minutes, jusqu'à absorption complète du liquide. Retirer du feu et laisser tiédir.

2. Dans une casserole d'eau bouillante salée, faire blanchir les bok choys et le brocoli 2 minutes. Rafraîchir aussitôt sous l'eau très froide. Égoutter.

3. Couper le tofu en tranches de 2 cm (¾ de po) d'épaisseur. Envelopper les tranches dans du papier absorbant. Déposer un objet lourd sur les tranches de tofu et laisser reposer 10 minutes afin de retirer le surplus d'eau.

4. Dans un bol, mélanger le vinaigre avec la sauce douce aux piments et l'huile d'olive.

5. Verser la moitié de la vinaigrette dans un autre bol, puis y ajouter l'oignon rouge et le concombre. Remuer.

6. Dans une assiette creuse, déposer la fécule de maïs. Enrober les tranches de tofu de fécule de maïs.

7. Dans une poêle, chauffer l'huile végétale à feu moyen. Faire dorer les tranches de tofu quelques minutes de chaque côté.

8. Répartir le quinoa dans quatre bols. Garnir d'oignon rouge, de concombre, de noix de cajou grillées, de tranches de tofu, de bok choys, de brocoli et de feuilles de coriandre. Garnir de la vinaigrette restante.

« *Si vous n'aimez pas le tofu, c'est que vous ne savez pas le cuisiner. Il s'adapte de toutes les façons et ce bol en est le parfait exemple ! Il allie les saveurs asiatiques à merveille tout en fournissant les protéines nécessaires pour traverser le reste de la journée. Depuis que je suis végane, j'ai redécouvert le tofu !* »

-PH

Bol poke à la mangue

PRÉPARATION 20 MINUTES | **CUISSON** 5 MINUTES | **QUANTITÉ** 4 PORTIONS

Par portion : 639 calories ; protéines 24 g ; matières grasses 9 g ; glucides 117 g ; fibres 9 g ; fer 5 mg ; calcium 199 mg ; sodium 475 mg

- 500 ml (2 tasses) d'edamames décortiqués surgelés
- 160 ml (⅔ de tasse) de quinoa
- 30 ml (2 c. à soupe) de sauce soya
- 1,5 litre (6 tasses) de riz basmati cuit
- 2 mangues coupées en dés
- 250 ml (1 tasse) de radis finement tranchés
- 2 oignons verts émincés
- Menthe et coriandre au goût

1. Dans une casserole d'eau bouillante salée, cuire les edamames 5 minutes. Refroidir sous l'eau froide et égoutter.

2. Dans une poêle, faire dorer le quinoa quelques minutes.

3. Hors du feu, ajouter la sauce soya et remuer.

4. Répartir le riz cuit dans quatre bols. Garnir de mangue, d'edamames, de radis, d'oignons verts et de fines herbes. Parsemer de quinoa grillé. Servir avec la sauce asiatique pour *poke* (voir page 212).

« *Je demande toujours à PH d'éplucher les mangues à ma place. Je dois avouer que ce n'est pas mon fort. Mais, en réalité, est-ce que c'est le fort de quelqu'un ? Peu importe qui épluche la mangue dans cette recette, elle en vaut la peine. Son goût rafraîchissant se joint à merveille à la fraîcheur des edamames et des radis. Pour le reste, il y a toujours les mangues déjà coupées !* »

– Jessie

Rouleaux de printemps mangue et arachides

PRÉPARATION 25 MINUTES | **CUISSON** 7 MINUTES | **QUANTITÉ** 4 PORTIONS

Par portion : 519 calories ; protéines 12 g ; matières grasses 24 g ; glucides 71 g ; fibres 8 g ; fer 2 mg ; calcium 73 mg ; sodium 281 mg

- 150 g (⅓ de lb) de vermicelles de riz
- 30 ml (2 c. à soupe) d'huile d'arachide
- 125 ml (½ tasse) d'arachides
- 160 ml (⅔ de tasse) de shiitakes finement tranchés
- 8 feuilles de riz
- ½ mangue coupée en lanières
- 1 avocat coupé en lanières
- ¼ de chou rouge tranché finement
- 2 carottes coupées en fins rubans
- ½ concombre coupé en tranches minces
- Feuilles de coriandre ou de menthe au goût

1. Réhydrater les vermicelles de riz selon les indications de l'emballage. Égoutter.

2. Dans une poêle, chauffer l'huile à feu moyen. Faire dorer les arachides quelques minutes. Éponger sur du papier absorbant.

3. Dans la même poêle, cuire les shiitakes jusqu'à ce qu'ils soient ramollis. Retirer du feu et laisser refroidir.

4. Dans une assiette creuse remplie d'eau tiède, immerger une feuille de riz environ 30 secondes, jusqu'à ce qu'elle ramollisse. Égoutter et déposer sur le plan de travail.

5. À environ 2,5 cm (1 po) du rebord de la feuille de riz, déposer un peu de mangue, d'avocat, de chou rouge, de carottes, de concombre, de coriandre, de shiitakes, d'arachides et de vermicelles de riz.

6. Rabattre les côtés de la feuille de riz sur la garniture et rouler en serrant. Confectionner le reste des rouleaux en procédant de la même manière. Servir avec la sauce aux arachides (voir page 216).

« *Je raffolais des rouleaux de printemps avant d'être végane et j'en raffole encore plus aujourd'hui ! Beaucoup moins lourde et plus fraîche que son cousin frit le rouleau impérial, cette version à la mangue et aux arachides est parfaite pour un dîner rafraîchissant. Avec notre sauce aux arachides, c'est un match idéal. Ne vous inquiétez pas si vos rouleaux ne sont pas toujours très beaux, les miens ne le sont pas non plus !* »

– PH

Salade de radis et poivrons rouges

PRÉPARATION 10 MINUTES | **QUANTITÉ** 4 PORTIONS

Par portion : 108 calories ; protéines 2 g ; matières grasses 4 g ; glucides 16 g ; fibres 3 g ; fer 1 mg ; calcium 27 mg ; sodium 128 mg

- 15 ml (1 c. à soupe) d'huile d'olive
- 30 ml (2 c. à soupe) de vinaigre balsamique
- 15 ml (1 c. à soupe) de sirop d'érable
- 15 ml (1 c. à soupe) de moutarde à l'ancienne
- 2 poivrons rouges coupés en lanières
- 4 betteraves jaunes cuites et coupées en demi-tranches fines
- 12 radis tranchés finement
- 4 oignons verts hachés finement

1. Dans un saladier, mélanger l'huile avec le vinaigre, le sirop d'érable et la moutarde.

2. Ajouter les poivrons, les betteraves, les radis et les oignons verts dans le saladier. Remuer.

« *Les radis peuvent être difficiles d'approche en raison de leur goût saisissant, mais une fois bien balancés avec le goût sucré des poivrons rouges et des betteraves, ils deviennent un atout important pour les véganes qui cherchent des aliments à hautes valeurs nutritionnelles. Ajoutons à ça une vinaigrette avec une touche de sirop d'érable, et le tour est joué !* »

– Jessie

Nouilles de courgettes au sésame

PRÉPARATION 10 MINUTES | **CUISSON** 5 MINUTES | **QUANTITÉ** 4 PORTIONS

Par portion : 224 calories ; protéines 8 g ; matières grasses 16 g ; glucides 16 g ; fibres 5 g ; fer 2 mg ; calcium 92 mg ; sodium 33 mg

- 3 courgettes
- 125 ml (½ tasse) d'edamames décortiqués surgelés
- 60 ml (¼ de tasse) de coriandre finement hachée
- 45 ml (3 c. à soupe) de vinaigre de riz ou de cidre
- 15 ml (1 c. à soupe) d'huile de sésame grillé
- 2 gousses d'ail écrasées
- 1,25 ml (¼ de c. à thé) de piment de Cayenne
- 10 ml (2 c. à thé) de sucre
- Sel et poivre au goût
- 125 ml (½ tasse) de noix de Grenoble en morceaux

1. À l'aide d'un coupe-spirale ou d'une mandoline, tailler les courgettes en spirales.

2. Dans une casserole d'eau bouillante salée, cuire les edamames 5 minutes. Refroidir sous l'eau froide et égoutter.

3. Dans un grand bol, mélanger la coriandre avec le vinaigre, l'huile de sésame, l'ail, le piment de Cayenne et le sucre.

4. Ajouter les spirales de courgettes dans le bol. Saler, poivrer et remuer.

5. Au moment de servir, garnir d'edamames et de noix de Grenoble.

« *L'avantage des nouilles de courgettes, comparativement aux pâtes alimentaires traditionnelles, c'est leur faible teneur calorifique. Ajoutons à ça leurs autres qualités nutritionnelles, et on y retrouve une parfaite option pour une petite salade estivale. En plus, ça nous laisse un sentiment de légèreté satisfaisant !* »

–Jessie et PH

Salade chaude de tempeh

PRÉPARATION 20 MINUTES | **CUISSON** 20 MINUTES | **QUANTITÉ** 4 PORTIONS

Par portion : 422 calories ; protéines 17 g ; matières grasses 18 g ; glucides 50 g ; fibres 10 g ; fer 6 mg ; calcium 218 mg ; sodium 404 mg

- 1 bloc de tempeh de 240 g
- 30 ml (2 c. à soupe) d'huile de canola
- 30 ml (2 c. à soupe) de vinaigre de cidre
- 30 ml (2 c. à soupe) de jus d'orange
- 10 ml (2 c. à thé) de moutarde en poudre
- 4 à 5 pommes de terre grelots
- 125 ml (½ tasse) de haricots verts
- 125 ml (½ tasse) de tomates cerises coupées en deux
- 1 poivron orange coupé en lanières
- 250 ml (1 tasse) de mélange de salade verte (kale, roquette, épinard, iceberg)
- 20 olives Kalamata ou olives noires

1. Couper le tempeh en tranches de 1 à 2 cm (de ½ à ¾ de po) d'épaisseur.

2. Dans une grande poêle, chauffer l'huile à feu moyen. Faire dorer les tranches de tempeh de 1 à 2 minutes de chaque côté. Retirer du feu et réserver.

3. Dans un bol, fouetter le vinaigre avec le jus d'orange et la moutarde en poudre.

4. Dans une casserole d'eau bouillante, cuire les pommes de terre 15 minutes, jusqu'à ce qu'elles soient cuites, mais encore légèrement croquantes. Égoutter.

5. Dans la poêle contenant le tempeh, ajouter les haricots verts, les tomates cerises, le poivron et un peu de vinaigrette. Remuer. Cuire à feu doux quelques minutes afin de faire ramollir les haricots et les tomates.

6. Retirer les tranches de tempeh de la poêle et les couper en cubes.

7. Répartir le mélange de salade dans quatre bols. Garnir de tempeh, de légumes, d'olives et du reste de la vinaigrette.

« *Jean-Philippe Cyr de "La cuisine de Jean-Philippe" a fait une bonne définition du tempeh : le tempeh, c'est comme le tofu qui est allé à l'université. Il est plus protéiné, moins gras et plus goûteux. Il faut toutefois faire attention, parce que son goût est souvent aride, mais lorsque le tempeh est bien cuisiné, il ajoute une couche de saveur à n'importe quel plat. Idéal pour un dîner réconfortant !* »

– Jessie et PH

Burritos végé

PRÉPARATION 20 MINUTES | **CUISSON** 15 MINUTES | **QUANTITÉ** 4 PORTIONS

Par portion : 575 calories ; protéines 18 g ; matières grasses 28 g ; glucides 108 g ; fibres 15 g ; fer 5 mg ; calcium 216 mg ; sodium 683 mg

250 ml (1 tasse) d'edamames décortiqués surgelés

15 ml (1 c. à soupe) d'huile d'olive

1 oignon haché

15 ml (1 c. à soupe) d'ail haché

250 ml (1 tasse) de sauce marinara (voir recette à la page 218)

15 ml (1 c. à soupe) d'assaisonnements à tacos

1 boîte de pois chiches de 540 ml, rincés et égouttés

4 grandes tortillas

POUR LA SALADE DE CHOU :

30 ml (2 c. à soupe) d'huile d'olive

30 ml (2 c. à soupe) de jus de lime

15 ml (1 c. à soupe) de coriandre hachée

15 ml (1 c. à soupe) de sirop d'érable ou d'agave

Sel et poivre au goût

250 ml (1 tasse) de chou vert émincé finement

250 ml (1 tasse) de chou rouge émincé finement

8 tomates cerises de couleurs variées coupées en quatre

1 avocat coupé en dés

1. Dans une casserole d'eau bouillante salée, cuire les edamames 5 minutes. Égoutter.

2. Dans une poêle, chauffer l'huile d'olive à feu moyen. Cuire l'oignon et l'ail 1 minute.

3. Ajouter la sauce marinara et les assaisonnements à tacos dans la poêle. Porter à ébullition.

4. Ajouter les pois chiches et les edamames dans la poêle. Cuire de 8 à 10 minutes à feu doux-moyen.

5. Dans un bol, mélanger l'huile d'olive avec le jus de lime, la coriandre et le sirop d'érable. Saler et poivrer. Ajouter le chou vert, le chou rouge, les tomates cerises et l'avocat. Remuer.

6. Chauffer une autre poêle à feu moyen. Chauffer chaque tortilla 15 secondes de chaque côté.

7. Garnir les tortillas de préparation aux pois chiches et de salade de chou. Rouler en serrant. Servir avec 125 ml (½ tasse) de végénaise (voir page 204) mélangée à 15 ml (1 c. à soupe) de jus de lime.

« *Un burrito peut se manger autant pour déjeuner que pour dîner, mais l'heure parfaite demeure celle du brunch. Comment résister à un mets qui nous offre un peu de piquant et de saveur mexicaine tout en nous faisant sentir léger ? Ce repas extrêmement nutritif et bon pour la santé est pratique pour un mode de vie sur le pouce. Il est également si simple à faire !* »

– Jessie

Bol arc-en-ciel

PRÉPARATION 20 MINUTES | **CUISSON** 20 MINUTES | **QUANTITÉ** 4 PORTIONS

Par portion : 161 calories ; protéines 3 g ; matières grasses 7 g ; glucides 22 g ; fibres 2 g ; fer 1 mg ; calcium 37 mg ; sodium 54 mg

- 100 g (3 ½ oz) de vermicelles de riz
- 30 ml (2 c. à soupe) d'huile de sésame (non grillé)
- 1 grosse patate douce coupée en dés
- 1 petit brocoli coupé en petits bouquets
- 4 à 5 champignons coupés en quartiers
- Sel et poivre au goût
- 6 radis tranchés finement
- 80 ml (⅓ de tasse) de chou rouge émincé
- 500 ml (2 tasses) de roquette
- 30 ml (2 c. à soupe) de coriandre hachée
- 5 ml (1 c. à thé) de sriracha

1. Préchauffer le four à 190 °C (375 °F).

2. Réhydrater les vermicelles de riz selon les indications de l'emballage. Égoutter.

3. Dans un bol, mélanger les vermicelles avec 15 ml (1 c. à soupe) d'huile de sésame pour les empêcher de coller.

4. Déposer la patate douce, le brocoli et les champignons dans un bol. Ajouter le reste de l'huile de sésame. Saler, poivrer et remuer.

5. Déposer les légumes sur une plaque de cuisson tapissée de papier parchemin. Cuire au four 15 minutes.

6. Retirer les champignons et le brocoli de la plaque et les réserver dans une assiette. Retourner les dés de patate douce. Poursuivre la cuisson des dés de patate douce au four de 5 à 10 minutes.

7. Répartir les vermicelles de riz dans quatre bols. Répartir séparément le brocoli, les dés de patate douce, les champignons, les radis, le chou rouge et la roquette dans les bols. Garnir de coriandre et de sriracha. Servir avec la sauce aux arachides (voir page 216).

« *L'une des premières choses que nous avons apprises lors de "La Clinique Renversante" avec la nutritionniste Anne-Marie Roy, c'est que plus les couleurs sont diversifiées dans ton assiette, plus tu accumules des nutriments tout aussi diversifiés. Le bol arc-en-ciel est l'arme parfaite pour garder le système immunitaire sur ses gardes. Cette explosion de couleurs vous fera saliver !* »

– Jessie

Salade de couscous israélien, pomme et menthe

PRÉPARATION 20 MINUTES | **CUISSON** 11 MINUTES | **QUANTITÉ** 4 PORTIONS

Par portion : 645 calories ; protéines 13 g ; matières grasses 31 g ; glucides 83 g ; fibres 8 g ; fer 6 mg ; calcium 64 mg ; sodium 1084 mg

15 ml (1 c. à soupe) d'huile d'olive

500 ml (2 tasses) de couscous israélien

1 litre (4 tasses) de bouillon végane au choix (végétal, de légumes...)

1 tomate italienne

½ concombre anglais

1 pomme verte

½ oignon rouge

1 avocat

80 ml (⅓ de tasse) de persil haché

80 ml (⅓ de tasse) de menthe hachée

POUR LA VINAIGRETTE :

80 ml (⅓ de tasse) d'huile d'olive

45 ml (3 c. à soupe) de zestes de citron

45 ml (3 c. à soupe) de vinaigre de cidre

20 ml (4 c. à thé) de sirop d'érable

Sel et poivre au goût

1. Dans une casserole, chauffer l'huile à feu moyen. Ajouter le couscous et remuer pour l'enrober d'huile. Cuire de 3 à 4 minutes à feu doux-moyen en remuant de temps en temps, jusqu'à ce que le couscous commence à brunir légèrement et à dégager ses arômes.

2. Verser le bouillon dans la casserole et porter à ébullition. Couvrir et laisser mijoter de 8 à 10 minutes à feu doux, jusqu'à ce que le liquide soit complètement absorbé.

3. Pendant ce temps, mélanger les ingrédients de la vinaigrette dans un bol.

4. Transférer le couscous dans un saladier et laisser tiédir.

5. Couper la tomate, le concombre, la pomme, l'oignon rouge et l'avocat en dés.

6. Dans le saladier, ajouter les légumes et remuer. Verser la vinaigrette et ajouter les fines herbes. Remuer délicatement.

« *Le combo pomme et menthe a fait ses preuves en cuisine et nous avons décidé de nous en servir dans cette salade de couscous israélien. En plus d'avoir une grande teneur en fibres et en protéines, le couscous absorbe le goût de la vinaigrette aux touches d'agrume. Un vrai régal estival !* »

– Jessie et PH

Bol de nouilles aux shiitakes

PRÉPARATION 20 MINUTES | **CUISSON** 5 MINUTES | **QUANTITÉ** 4 PORTIONS

Par portion : 221 calories ; protéines 4 g ; matières grasses 11 g ; glucides 30 g ; fibres 3 g ; fer 1 mg ; calcium 23 mg ; sodium 462 mg

100 g (3 ½ oz) de nouilles de riz larges pour pad thaï

30 ml (2 c. à soupe) d'huile de sésame grillé

2 gousses d'ail hachées finement

15 ml (1 c. à soupe) de gingembre haché finement

375 ml (1 ½ tasse) de shiitakes tranchés finement

30 ml (2 c. à soupe) de sauce soya

15 ml (1 c. à soupe) de sirop d'érable

2,5 ml (½ c. à thé) de flocons de piment

½ avocat tranché finement

⅓ de concombre tranché finement

125 ml (½ tasse) de chou rouge tranché finement

Graines de sésame au goût

1. Réhydrater les nouilles de riz selon les indications de l'emballage. Égoutter.

2. Dans un bol, mélanger les nouilles de riz avec 15 ml (1 c. à soupe) d'huile de sésame pour les empêcher de coller.

3. Dans une poêle, chauffer le reste de l'huile de sésame à feu moyen. Cuire l'ail et le gingembre de 1 à 2 minutes.

4. Ajouter les shiitakes et cuire quelques minutes, jusqu'à ce qu'ils soient brunis.

5. Ajouter la sauce soya, le sirop d'érable et les flocons de piment. Remuer, puis retirer du feu.

6. Répartir les nouilles dans quatre bols. Garnir de shiitakes, d'avocat, de concombre et de chou rouge. Garnir de graines de sésame. Si désiré, garnir de vinaigrette au sésame (voir page 214).

« *Bien cuisiné, le champignon shiitake remplace très bien le poulet. Il a une texture semblable et possède un goût léger qui se marine très bien. N'étant moi-même pas du tout un amateur de champignons, je dois avouer m'être laissé charmé par le shiitake, surtout lorsqu'il est présenté dans un bol asiatique nappé d'une vinaigrette au sésame, comme ici !* »

– PH

REPAS PRINCIPAUX

Pour nous, le souper est l'occasion idéale de passer du temps de qualité ensemble. Dans notre vie, les temps libres sont rares, et nous n'avons que très peu de temps pour ne rien faire ensemble. Lorsque nous nous installons pour manger après une longue journée, nous profitons de cette petite pause pour apprécier le moment. Profitez des soupers pour resserrer les liens familiaux tout en dégustant nos recettes traditionnelles véganisées !

Mac'n Cheese-Whiz

PRÉPARATION 20 MINUTES | **CUISSON** 12 MINUTES | **QUANTITÉ** 6 PORTIONS

Par portion: 419 calories; protéines 12 g; matières grasses 16 g; glucides 58 g; fibres 4 g; fer 2 mg; calcium 28 mg; sodium 190 mg

- 1 boîte de macaronis de 375 g
- 375 ml (1 ½ tasse) de bouillon de légumes froid
- 125 ml (½ tasse) de noix de cajou
- 60 ml (¼ de tasse) d'huile de noix de coco ou de beurre végétalien
- 60 ml (¼ de tasse) de levure alimentaire
- 30 ml (2 c. à soupe) de fécule de maïs
- 10 ml (2 c. à thé) de paprika fumé doux
- 5 ml (1 c. à thé) de sirop d'érable
- 5 ml (1 c. à thé) de vinaigre de cidre
- 2,5 ml (½ c. à thé) de poudre d'oignons
- 2,5 ml (½ c. à thé) de poudre d'ail
- Sel et poivre au goût
- 2 tomates coupées en dés
- 4 oignons verts émincés

1. Dans une casserole d'eau bouillante légèrement salée, cuire les pâtes *al dente*. Égoutter.

2. Dans le contenant du robot culinaire, broyer le reste des ingrédients, à l'exception des tomates et des oignons verts.

3. Transvider la préparation dans une casserole et porter à ébullition en remuant. Laisser mijoter jusqu'à l'obtention de la texture désirée.

4. Ajouter les pâtes dans la casserole et remuer.

5. Au moment de servir, garnir de tomates et d'oignons verts.

« *Tel que vu aux "Plats Pas Plates" avec Cam Grande Brune, voici notre recette de mac'n cheese. Nous voulions trouver une recette qui simulerait le Kraft Dinner ou encore le Cheez Whiz, autant pour ce qui est de la texture que de la couleur. Au contraire de ces exemples, notre mac'n cheese est nutritionnellement positif! Le réconfort d'un "cheat meal" sans "cheat"; que demander de mieux?* »

– Jessie et PH

Galettes de portobello optimales

PRÉPARATION 45 MINUTES | **CUISSON** 30 MINUTES | **QUANTITÉ** DE 7 À 8 GROSSES GALETTES

Par portion: 298 calories; protéines 14 g; matières grasses 10 g; glucides 42 g; fibres 7 g; fer 3 mg; calcium 290 mg; sodium 554 mg

- 1 boîte de haricots noirs de 540 ml, rincés et égouttés
- 500 ml (2 tasses) de champignons portobello, lamelles retirées et coupés en morceaux
- 430 ml (1 ¾ tasse) de chapelure nature (ou de pain grillé émietté)
- 250 ml (1 tasse) de brocoli coupé en bouquets
- 180 ml (¾ de tasse) de parmesan végane râpé
- 125 ml (½ tasse) d'oignon rouge coupé en dés
- 60 ml (¼ de tasse) de persil haché
- 30 ml (2 c. à soupe) d'épices à steak
- 30 ml (2 c. à soupe) d'ail haché
- 15 ml (1 c. à soupe) de sauce Worcestershire végane
- 3 œufs de lin (voir page 24)
- 125 ml (½ tasse) de graines de tournesol

1. Préchauffer le four à 190 °C (375 °F).

2. Dans le contenant du robot culinaire, réduire 375 ml (1 ½ tasse) de haricots noirs en purée.

3. Ajouter le reste des ingrédients, à l'exception des haricots restants et des graines de tournesol. Mélanger de nouveau jusqu'à l'obtention d'une préparation homogène.

4. Ajouter le reste des haricots et les graines de tournesol. Remuer à l'aide d'une cuillère.

5. Façonner de sept à huit galettes avec la préparation.

6. Sur une plaque de cuisson tapissée de papier parchemin, déposer les galettes.

7. Cuire au four 30 minutes, en retournant les galettes à mi-cuisson. Ces galettes peuvent être servies en burger avec des tomates, de la laitue, des avocats et de la végénaise.

« *Nous avons découvert la galette de portobello en suivant "La Clinique Renversante" avec la nutritionniste Anne-Marie Roy. Il s'agit d'un repas végane très répandu. Cependant, notre version est complètement optimale côté santé, dans le même esprit que ce que prône la clinique. Il ne s'agit pas de tenter de recréer le goût de la viande d'un burger ordinaire. Au contraire, on cherche à s'en éloigner. Le mélange de saveurs fraîches qui se retrouvent à l'intérieur est à faire saliver n'importe quel omnivore. Grillé sur le barbecue, c'est une vraie merveille!* »

– Jessie et PH

Riz aux haricots noirs «on the go»

PRÉPARATION 15 MINUTES | **CUISSON** 4 MINUTES | **QUANTITÉ** 2 PORTIONS

Par portion : 673 calories ; protéines 24 g ; matières grasses 18 g ; glucides 109 g ; fibres 19 g ; fer 6 mg ; calcium 139 mg ; sodium 375 mg

- 30 ml (2 c. à soupe) d'huile végétale
- 5 oignons verts hachés
- 1 courgette coupée en petits cubes
- 3 gousses d'ail hachées
- 1 grosse carotte coupée en petits cubes
- 180 ml (¾ de tasse) de bouillon de légumes
- 1 boîte de haricots noirs de 398 ml, rincés et égouttés
- 500 ml (2 tasses) de riz brun cuit
- 1 poivron rouge coupé en petits cubes
- 125 ml (½ tasse) de pois verts surgelés
- 125 ml (½ tasse) de maïs en grains surgelé
- 15 ml (1 c. à soupe) de coriandre hachée
- 10 ml (2 c. à thé) d'origan haché
- 2,5 ml (½ c. à thé) de poudre de chili
- Sel et poivre au goût

1. Dans une casserole ou une poêle profonde, chauffer l'huile à feu moyen. Cuire les oignons verts, la courgette, l'ail et la carotte 4 minutes.

2. Incorporer le bouillon. Porter à ébullition, puis laisser mijoter jusqu'à absorption complète du liquide.

3. Ajouter les haricots noirs, le riz brun cuit, le poivron, les pois verts, le maïs, la coriandre, l'origan et la poudre de chili. Saler, poivrer et remuer. Ce plat peut être refroidi et conservé pour un lunch froid.

« *Ce repas est idéal pour apporter en lunch. Entre mes pratiques de théâtre et mes événements d'activisme, j'ai rarement le temps de bien manger. Avant de rencontrer PH, j'allais trop souvent dans des restaurants et ça commençait à coûter très cher. Cette recette rapide à faire et très simple me permet d'amener avec moi assez d'énergie pour tenir le coup durant de longues heures à être debout et concentrée. Le riz brun est un "must" dans ce genre de recettes si, comme moi, vous devenez impatient lorsque vous avez faim !* »

– Jessie

Falafels parfaits

PRÉPARATION 18 MINUTES | **CUISSON** 10 MINUTES | **QUANTITÉ** DE 20 À 25 BOULETTES

Par portion (1 boulette): 45 calories; protéines 2 g; matières grasses 2 g; glucides 6 g; fibres 1 g; fer 1 mg; calcium 14 mg; sodium 322 mg

- 1 boîte de pois chiches de 540 ml, rincés et égouttés
- 250 ml (1 tasse) de couscous cuit
- 2 gousses d'ail
- ¼ d'oignon émincé
- 45 ml (3 c. à soupe) de feuilles de menthe
- 15 ml (1 c. à soupe) de sel
- 15 ml (1 c. à soupe) de cumin
- 2,5 ml (½ c. à thé) de flocons de piment broyés
- 15 ml (1 c. à soupe) de tahini (beurre de sésame) ou de beurre d'arachide
- 10 ml (2 c. à thé) de jus de citron
- 90 ml (6 c. à soupe) de farine tout usage
- 5 ml (1 c. à thé) de poudre à pâte
- Poivre au goût
- 500 ml (2 tasses) d'huile végétale

1. Dans le contenant du robot culinaire, déposer les pois chiches, le couscous cuit, les gousses d'ail, l'oignon, la menthe, le sel, le cumin, les flocons de piment, le tahini et le jus de citron. Mélanger jusqu'à l'obtention d'une pâte homogène.

2. Ajouter la farine et la poudre à pâte. Poivrer. Mélanger de nouveau.

3. Façonner de 20 à 25 boulettes avec la préparation.

4. Dans une friteuse ou dans une casserole profonde, chauffer l'huile jusqu'à ce qu'elle atteigne une température de 190 °C (375 °F) sur un thermomètre à cuisson. Si une casserole est utilisée, bien surveiller la cuisson pour éviter que l'huile ne surchauffe et ne s'enflamme.

5. Faire frire quelques boulettes à la fois, puis les éponger sur du papier absorbant. Ces falafels peuvent être servis dans un pita avec des légumes et de la végénaise ou du houmous.

« *Il y a autant de recettes de falafels qu'il y a de types de cuisine. Il y a également autant de façons de manger les falafels qu'il y a de types de mangeurs ! Cette version est assurée de se glisser dans n'importe quelle recette, à la façon d'un caméléon. Si, comme moi, vous préférez ne pas trop jouer avec de l'huile à frire, il est possible de cuire les falafels au four sous forme de galettes. Par contre, parfois, je crois qu'il est important de s'offrir un peu de friture. Moins bon pour le corps, mais si bon pour les papilles !* »

– Jessie

Pâté chinois pour les jours d'hiver

PRÉPARATION 40 MINUTES | **CUISSON** 50 MINUTES | **QUANTITÉ** 4 PORTIONS

Par portion : 391 calories ; protéines 21 g ; matières grasses 7 g ; glucides 68 g ; fibres 10 g ; fer 6 mg ; calcium 93 mg ; sodium 392 mg

- 4 pommes de terre
- 250 ml (1 tasse) de boisson de soya nature
- 180 ml (¾ de tasse) de protéines de soya nature texturées
- 15 ml (1 c. à soupe) d'huile végétale
- 1 gros oignon haché
- 2 grosses gousses d'ail hachées
- 1 boîte de lentilles de 540 ml, rincées et égouttées
- 125 ml (½ tasse) de bouillon de légumes
- 4 à 5 gouttes de tabasco ou de sriracha
- 5 ml (1 c. à thé) d'épices à steak
- 2,5 ml (½ c. à thé) de thym haché
- Sel et poivre au goût
- 1 boîte de maïs en grains de 390 ml, égoutté

1. Préchauffer le four à 180 °C (350 °F).

2. Dans une casserole, déposer les pommes de terre. Couvrir d'eau froide et saler. Porter à ébullition, puis cuire de 18 à 20 minutes, jusqu'à tendreté. Égoutter, puis réduire en purée avec la boisson de soya.

3. Dans un bol, déposer les protéines de soya. Verser 375 ml (1 ½ tasse) d'eau bouillante sur les protéines de soya. Couvrir et laisser reposer 10 minutes (les protéines de soya tripleront de volume). Égoutter.

4. Dans une casserole, chauffer l'huile à feu moyen. Cuire l'oignon et l'ail de 1 à 2 minutes.

5. Ajouter les lentilles, le bouillon de légumes, les protéines de soya, le tabasco, les épices à steak et le thym dans la casserole. Saler et poivrer. Bien mélanger.

6. Transvider la préparation dans un plat de cuisson. Couvrir de maïs, puis garnir de purée de pommes de terre.

7. Cuire au four 30 minutes.

« *Le pâté chinois est un classique québécois. En devenant végane, j'avais peur de m'ennuyer de sa facilité et de son goût réconfortant. C'est pourquoi il était important pour moi de ne pas compliquer une si bonne formule. Une fois réhydratée et mélangée aux lentilles pour la consistance, la protéine de soya texturée devient un excellent remplaçant de la viande hachée. On ignore trop souvent la provenance des viandes hachées, et leur impact sur la santé est désastreux à cause de la présence naturelle de gras trans à l'intérieur. Avec ce plat, on retrouve la même simplicité, le même réconfort, sans les mauvais côtés. Tout le monde gagne !* »

– PH

Boulettes de lentilles

PRÉPARATION 35 MINUTES | **CUISSON** 32 MINUTES | **QUANTITÉ** 15 BOULETTES

Par portion (1 boulette) : 104 calories ; protéines 5 g ; matières grasses 3 g ; glucides 15 g ; fibres 2 g ; fer 1 mg ; calcium 26 mg ; sodium 65 mg

- 250 ml (1 tasse) de lentilles brunes sèches, rincées et égouttées
- 625 ml (2 ½ tasses) d'eau
- 1 feuille de laurier
- 30 ml (2 c. à soupe) d'huile végétale
- ½ oignon haché finement
- 2 gousses d'ail hachées finement
- ½ contenant de champignons de 227 g, hachés finement
- 5 ml (1 c. à thé) d'assaisonnements italiens
- 5 ml (1 c. à thé) de paprika fumé doux
- Persil haché au goût
- 30 ml (2 c. à soupe) de graines de lin
- 90 ml (6 c. à soupe) d'eau
- 250 ml (1 tasse) de chapelure nature (ou de pain grillé émietté)
- Sel et poivre au goût

1. Dans une casserole, déposer les lentilles, l'eau et la feuille de laurier. Cuire de 15 à 20 minutes, jusqu'à ce que les lentilles soient tendres. Égoutter. Retirer la feuille de laurier.

2. Préchauffer le four à 205 °C (400 °F).

3. Dans une poêle, chauffer l'huile à feu moyen. Cuire l'oignon de 1 à 2 minutes, jusqu'à ce qu'il soit translucide.

4. Ajouter l'ail, les champignons, les assaisonnements italiens, le paprika et le persil. Remuer. Cuire 5 minutes.

5. Dans un bol, laisser tremper les graines de lin dans l'eau 5 minutes.

6. Dans le contenant du robot culinaire, déposer tous les ingrédients. Mélanger jusqu'à l'obtention d'une préparation homogène.

7. Façonner 15 boulettes avec la préparation, puis les déposer sur une plaque de cuisson tapissée de papier parchemin.

8. Cuire au four de 12 à 15 minutes. Servir immédiatement.

Parfait pour servir sur des pâtes, du riz, une purée ou même dans un sandwich « Subway style ».

« *En sortant d'Occupation Double, j'avais une envie insupportable de spaghetti-boulettes. Je devais trouver une technique pour assouvir ce besoin. C'est alors que Jessie m'a parlé des œufs de lin pour remplacer les œufs dans toutes les recettes et ainsi faire tenir les mélanges. Ensuite, rapidement est née cette recette de boulettes de lentilles, en prenant comme base ma recette de boulettes préférée et en remplaçant la viande hachée par des lentilles. Elles se mangent bien seules ou, évidemment, sur leur trône de spaghettis !* »

– PH

Poutine Occupation Double

PRÉPARATION 25 MINUTES | **CUISSON** 35 MINUTES | **QUANTITÉ** 4 PORTIONS

Par portion: 627 calories; protéines 30 g; matières grasses 23 g; glucides 76 g; fibres 7 g; fer 7 mg; calcium 159 mg; sodium 1631 mg

POUR LES FRITES:

5 à 6 pommes de terre

45 ml (3 c. à soupe) d'huile végétale

POUR LES GRAINS DE TOFU:

1 bloc de tofu ferme de 454 g

750 ml (3 tasses) d'eau

45 ml (3 c. à soupe) de gros sel

45 ml (3 c. à soupe) de vinaigre de cidre

POUR LA SAUCE:

15 ml (1 c. à soupe) d'huile d'olive

½ petit oignon haché

750 ml (3 tasses) de bouillon de légumes

30 ml (2 c. à soupe) de tamari

30 ml (2 c. à soupe) de pâte de tomates

30 ml (2 c. à soupe) de sirop d'érable

5 ml (1 c. à thé) de vinaigre de cidre

2,5 ml (½ c. à thé) de paprika fumé doux

2,5 ml (½ c. à thé) de thym haché

Sel et poivre au goût

Assaisonnements italiens ou fumée liquide au goût

60 ml (¼ de tasse) de farine

1. Préchauffer le four à 220 °C (425 °F).

2. Couper les pommes de terre en bâtonnets. Déposer sur une plaque de cuisson tapissée de papier parchemin. Arroser d'huile et remuer. Cuire au four 30 minutes.

3. Pendant ce temps, défaire le tofu en morceaux de la même taille que celle du fromage en grains.

4. Dans une casserole, porter l'eau à ébullition. Incorporer le gros sel et le vinaigre de cidre. Ajouter le tofu et laisser mijoter 8 minutes. Égoutter.

5. Dans la même casserole, chauffer l'huile d'olive à feu moyen. Cuire l'oignon de 2 à 3 minutes.

6. Incorporer le reste des ingrédients de la sauce dans la casserole, à l'exception de la farine. Porter à ébullition, puis laisser mijoter de 3 à 5 minutes à feu doux.

7. Incorporer graduellement la farine en fouettant et cuire jusqu'à ce que la sauce ait épaissi.

8. Répartir les frites dans les bols. Garnir de grains de tofu et napper de sauce.

« *Beaucoup de personnes m'ont demandé la recette de la poutine que j'avais concoctée à Occupation Double lors du concours de cuisine. Là-bas, je manquais d'équipement et d'ingrédients pour faire justice au véganisme, mais je crois que le résultat a somme toute été très apprécié. Surtout par PH! En sortant, j'ai retravaillé cette recette avec de nouvelles options et de nouvelles idées afin de créer l'ultime poutine végane qui comblera tous ceux qui ont peur de s'en ennuyer. Elle est également meilleure pour la santé qu'une poutine traditionnelle, alors ne vous sentez pas mal de terminer vos soirées bien arrosées avec cette recette!* »

– Jessie

Pâtes bien-être vert

PRÉPARATION 15 MINUTES | **CUISSON** 30 MINUTES | **QUANTITÉ** 4 PORTIONS

Par portion : 424 calories ; protéines 13 g ; matières grasses 19 g ; glucides 52 g ; fibres 6 g ; fer 4 mg ; calcium 132 mg ; sodium 69 mg

- 4 gousses d'ail pelées
- 15 ml (1 c. à soupe) d'huile d'olive
- 500 ml (2 tasses) de pâtes courtes au choix
- 250 ml (1 tasse) de pois verts surgelés
- 1 courgette verte coupée en rondelles
- 6 asperges coupées en morceaux
- 30 ml (2 c. à soupe) d'huile d'olive
- ½ oignon haché ou 2 à 3 échalotes sèches (françaises) finement hachées
- 5 ml (1 c. à thé) de thym haché
- 250 ml (1 tasse) de préparation crémeuse au soya (de type Belsoy)
- 10 ml (2 c. à thé) de jus de citron
- ½ lime (zeste)
- 1 ½ botte de chou kale hachée
- Sel et poivre au goût

1. Préchauffer le four à 180 °C (350 °F).

2. Dans un plat de cuisson, déposer les gousses d'ail. Arroser d'un filet d'huile d'olive. Cuire au four de 30 à 35 minutes.

3. Pendant ce temps, cuire les pâtes *al dente* dans une casserole d'eau bouillante salée. Environ 4 minutes avant la fin de la cuisson des pâtes, ajouter les pois verts, la courgette et les asperges dans la casserole. Égoutter. Réserver.

4. Dans une poêle, chauffer l'huile à feu moyen. Faire suer l'oignon 1 minute.

5. Ajouter le thym, l'ail rôti et la préparation crémeuse au soya dans la poêle. Porter à ébullition.

6. Transférer la préparation à l'ail dans le contenant du robot culinaire. Ajouter le jus de citron, le zeste de lime et le chou kale. Émulsionner jusqu'à l'obtention d'une préparation homogène.

7. Répartir les pâtes aux légumes dans les assiettes. Garnir chaque portion de sauce au chou kale.

« *Avec le temps, j'ai appris à prendre plaisir à manger mieux. Les pâtes bien-être constituent mon repas santé préféré pour me sentir en harmonie dans mon corps. Excellent autant pour les dîners sur le pouce qu'au souper avec un verre de vin. C'est le genre de recette qui est toujours à portée de main lorsque le temps manque et qui peut être gardée au réfrigérateur en conservant son excellent goût même une fois refroidie. Encore une preuve que ce qui est vert est bon pour vous !* »

– Jessie

Pain aux pois chiches

PRÉPARATION 20 MINUTES | **CUISSON** 50 MINUTES | **QUANTITÉ** DE 8 À 10 PORTIONS

Par portion: 182 calories; protéines 7 g; matières grasses 5 g; glucides 29 g; fibres 6 g; fer 2 mg; calcium 66 mg; sodium 263 mg

250 ml (1 tasse) de flocons d'avoine à cuisson rapide

125 ml (½ tasse) de graines de tournesol

1 petit oignon coupé en morceaux

½ poivron rouge coupé en dés

2 gousses d'ail hachées

1 boîte de pois chiches de 540 ml, rincés et égouttés

½ boîte de haricots pinto de 540 ml, rincés et égouttés

15 ml (1 c. à soupe) de paprika

30 ml (2 c. à soupe) d'origan séché

15 ml (1 c. à soupe) d'épices à steak

5 ml (1 c. à thé) de sauce Worcestershire végane

Sel et poivre au goût

POUR LA SAUCE:

45 ml (3 c. à soupe) de pâte de tomates

45 ml (3 c. à soupe) de sirop d'érable

30 ml (2 c. à soupe) de cidre de pomme

15 ml (1 c. à soupe) de tamari

5 ml (1 c. à thé) de paprika fumé doux

1. Préchauffer le four à 190 °C (375 °F).

2. Dans un bol, mélanger les ingrédients de la sauce. Réserver.

3. Dans le contenant du robot culinaire, déposer les flocons d'avoine et les graines de tournesol, puis donner quelques impulsions. Ajouter l'oignon, le poivron et l'ail. Bien mélanger.

4. Ajouter les pois chiches, les haricots pinto, le paprika, l'origan, les épices à steak, la sauce Worcestershire, le sel et le poivre dans le contenant du robot culinaire. Émulsionner jusqu'à ce que les ingrédients soient bien mélangés et qu'ils soient presque réduits en purée.

5. Dans un moule à pain tapissé de papier parchemin, déposer la préparation. Égaliser la surface, puis couvrir de sauce.

6. Cuire au four de 50 minutes à 1 heure. Retirer du four, puis laisser tiédir.

« *Un de mes repas préférés que ma mère cuisine est son pain à la viande. La simple pensée de la caramélisation de l'enrobage sucré me fait me réveiller en sueur dans la nuit. Voici une version végane que j'ai grandement hâte de lui faire goûter. L'enjeu est la consistance, pour recréer un pain, et c'est là l'importance de l'avoine qui, en plus d'aider à la texture, procure une dose de fibres supplémentaire. Ce pain est nutritif et léger, parfait pour congeler et manger en souper tardif si besoin l'exige. Votre sommeil n'en sera que meilleur!* »

– PH

Casserole quinoa-saucisses de compétition

PRÉPARATION 20 MINUTES | **CUISSON** 18 MINUTES | **QUANTITÉ** 4 PORTIONS

Par portion : 416 calories ; protéines 24 g ; matières grasses 16 g ; glucides 47 g ; fibres 6 g ; fer 4 mg ; calcium 93 mg ; sodium 673 mg

- 250 ml (1 tasse) de quinoa
- 500 ml (2 tasses) d'eau
- 5 ml (1 c. à thé) d'huile d'olive
- 3 gousses d'ail hachées
- 1 oignon émincé
- 1 carotte coupée en petits dés
- 1 tomate coupée en petits dés
- 1 poivron rouge coupé en petits dés
- 60 ml (¼ de tasse) de persil haché
- 2,5 ml (½ c. à thé) de piment de Cayenne
- 60 ml (¼ de tasse) de ketchup
- Sel et poivre au goût
- 3 saucisses italiennes véganes (de type Gusta) cuites et coupées en rondelles

1. À l'aide d'une passoire fine, rincer le quinoa à l'eau froide. Égoutter.

2. Dans une casserole, déposer le quinoa et verser l'eau. Porter à ébullition, puis couvrir et laisser mijoter de 15 à 18 minutes à feu doux, jusqu'à absorption complète du liquide.

3. Retirer du feu et laisser reposer 5 minutes avant d'égrainer le quinoa à la fourchette. Transférer le quinoa dans une assiette et laisser tiédir.

4. Dans une poêle, chauffer l'huile à feu moyen. Cuire l'ail et l'oignon de 1 à 2 minutes.

5. Ajouter les dés de carotte et poursuivre la cuisson de 2 à 3 minutes afin de les ramollir légèrement.

6. Retirer du feu et laisser tiédir. Ajouter le reste des ingrédients et remuer. Ce plat peut être servi chaud, tiède ou froid en salade.

« *Cette recette est un classique de ma famille. Mes trois sœurs nageaient, tout comme moi, et les fins de semaine de compétition, ma mère cuisinait une énorme portion de cette recette. Celle-ci restait dans le réfrigérateur et, peu importe notre horaire de compétition, nous avions accès à ce plat nutritif. En plus, avec des saucisses végétales, on élimine le gras supplémentaire des saucisses à hot-dog. Qui sait ? J'aurais peut-être eu de meilleurs résultats avec cette version !* »

– PH

Lasagne sans fromage (vous avez bien lu!)

PRÉPARATION 20 MINUTES | **CUISSON** 35 MINUTES | **QUANTITÉ** 4 PORTIONS

Par portion: 603 calories; protéines 37 g; matières grasses 12 g; glucides 89 g; fibres 10 g; fer 9 mg; calcium 178 mg; sodium 1355 mg

- 1 bloc de tofu ferme de 454 g
- 30 ml (2 c. à soupe) d'assaisonnements italiens
- 15 ml (1 c. à soupe) de paprika fumé doux
- 30 ml (2 c. à soupe) d'herbes salées ou de fleur d'ail dans l'huile
- 6 gousses d'ail hachées
- 1 citron (jus)
- 45 ml (3 c. à soupe) d'eau
- 80 ml (⅓ de tasse) de levure alimentaire en flocons
- Sel et poivre au goût
- 250 ml (1 tasse) de basilic haché
- 16 pâtes à lasagne
- 625 ml (2 ½ tasses) de sauce tomate
- 1 courgette coupée en fines lamelles
- Parmesan végane râpé au goût (facultatif)

1. Préchauffer le four à 180 °C (350 °F).

2. Dans le contenant du robot culinaire, déposer le tofu, les assaisonnements italiens, le paprika, les herbes salées, l'ail, le jus de citron, l'eau, la levure alimentaire, le sel et le poivre. Mélanger jusqu'à ce que la préparation ait l'apparence d'une ricotta.

3. Ajouter le basilic et mélanger de nouveau.

4. Dans une casserole d'eau bouillante salée, cuire les pâtes à lasagne *al dente*. Égoutter.

5. Dans un plat de cuisson de 33 cm x 23 cm (13 po x 9 po), étaler environ 125 ml (½ tasse) de sauce tomate. Couvrir avec quatre pâtes à lasagne. Couvrir du tiers de la ricotta et de la sauce tomate restante. Couvrir de quatre autres pâtes. Répéter ces étapes deux fois. Déposer les courgettes sur le dessus de la lasagne.

6. Cuire au four 30 minutes.

7. Si désiré, parsemer de parmesan et poursuivre la cuisson au four 5 minutes.

« Je n'ai jamais aimé le fromage, même dans ma vie d'omnivore. Chez moi, la lasagne était toujours sans fromage, peu importe la recette. Cela donnait parfois un goût fade, mais j'ai appris à vivre avec. Même dans la cuisine végane, j'ai vu cette obsession à vouloir recréer la lasagne fromagée traditionnelle. Il fallait faire taire cette quête illusoire une bonne fois pour toutes. C'est alors qu'est arrivée l'idée d'une lasagne sans fromage, un concept qu'il fallait assumer à 100 %. Si, vraiment, vous ne pouvez pas vous passer de fromage, il est possible d'ajouter le parmesan végane à la fin de la cuisson. »

– PH

Tacos de champignons et salsa d'ananas

PRÉPARATION 20 MINUTES | **CUISSON** 2 MINUTES | **QUANTITÉ** 3 PORTIONS

Par portion : 330 calories ; protéines 6 g ; matières grasses 16 g ; glucides 49 g ; fibres 6 g ; fer 2 mg ; calcium 78 mg ; sodium 522 mg

- 45 ml (3 c. à soupe) d'huile d'olive
- 250 ml (1 tasse) de champignons hachés finement
- 1 gousse d'ail émincée
- 1,25 ml (¼ de c. à thé) de cumin
- 1,25 ml (¼ de c. à thé) de coriandre moulue
- 3 feuilles de chou kale émincées
- 1,25 ml (¼ de c. à thé) de sel
- 1,25 ml (¼ de c. à thé) de flocons de piment broyés
- ½ lime (jus)
- Poivre au goût
- 6 tortillas de maïs

POUR LA SALSA :

- 125 ml (½ tasse) de maïs en grains
- 45 ml (3 c. à soupe) de coriandre hachée
- ½ ananas coupé en petits cubes
- ¼ d'oignon rouge finement haché
- 1 lime (jus)
- Sel et poivre au goût

1. Dans une grande poêle, chauffer l'huile à feu moyen. Cuire les champignons de 2 à 3 minutes.

2. Ajouter l'ail, le cumin, la coriandre moulue, le chou kale, le sel et les flocons de piment broyés. Remuer et cuire de 1 à 2 minutes.

3. Incorporer le jus de lime et le poivre. Retirer du feu.

4. Dans un bol, mélanger les ingrédients de la salsa.

5. Garnir les tortillas de la préparation aux champignons et de salsa d'ananas. Servir avec 125 ml (½ tasse) de végénaise (voir page 204) mélangée avec 15 ml (1 c. à soupe) de jus de lime.

« *Cette recette est parfaite pour donner un goût d'été à toutes les situations. Nous avons fait ces tacos pour la première fois un soir de tempête en janvier. Pendant l'espace d'un moment, nous avons oublié l'extérieur et c'était l'été dans nos cœurs. Si vous désirez ajouter plus de protéines à la recette, elle est excellente avec le bacon de tempeh de la page 174. Tous les jours ce sera l'été !* »

– Jessie et PH

Burger croustillant au tofu

PRÉPARATION 20 MINUTES | **CUISSON** 8 MINUTES | **QUANTITÉ** 4 PORTIONS

Par portion : 540 calories ; protéines 24 g ; matières grasses 27 g ; glucides 54 g ; fibres 6 g ; fer 4 mg ; calcium 181 mg ; sodium 462 mg

45 ml (3 c. à soupe) d'huile d'olive

4 pains à hamburger de blé entier

POUR LES GALETTES :

1 bloc de tofu ferme de 350 g

375 ml (1 ½ tasse) de chapelure panko

1 œuf de lin (voir page 24)

60 ml (¼ de tasse) de levure alimentaire en flocons

2 oignons verts émincés

1 carotte râpée

Sel et poivre au goût

POUR LA SALSA DE MAÏS ET POIVRONS :

125 ml (½ tasse) de maïs en grains

30 ml (2 c. à soupe) de coriandre hachée

15 ml (1 c. à soupe) d'huile d'olive

5 ml (1 c. à thé) d'ail haché

¼ de poivron rouge coupé en petits dés

¼ d'oignon rouge haché

1 tomate coupée en petits dés

Sel et poivre au goût

POUR LA SAUCE CRÉMEUSE :

80 ml (⅓ de tasse) de végénaise

5 ml (1 c. à thé) de sriracha

1. Égoutter, puis éponger le tofu avec du papier absorbant afin de retirer le maximum d'eau. Émietter le tofu, puis le déposer dans le contenant du robot culinaire.

2. Ajouter la moitié de la chapelure et l'œuf de lin dans le contenant du robot culinaire. Mélanger jusqu'à l'obtention d'une texture pâteuse.

3. Transférer la préparation dans un bol. Incorporer le reste des ingrédients des galettes, à l'exception de la chapelure restante.

4. Dans un autre bol, mélanger les ingrédients de la salsa. Réserver au frais.

5. Dans un troisième bol, mélanger les ingrédients de la sauce crémeuse. Réserver au frais.

6. Façonner quatre galettes d'environ 2 cm (¾ de po) d'épaisseur avec la préparation au tofu. Verser le reste de la chapelure dans une assiette creuse, puis en enrober les galettes.

7. Dans une poêle, chauffer l'huile à feu moyen. Cuire les galettes de 4 à 5 minutes de chaque côté, jusqu'à ce qu'elles soient dorées.

8. Ouvrir les pains et les faire griller de 1 à 2 minutes au four à la position « gril » (*broil*).

9. Garnir chacun des pains d'une galette de tofu, de sauce crémeuse et de salsa.

« *Que dire du tofu ? Plusieurs en sont dégoutés de par sa texture, d'autres le trouvent plate par son manque de saveur. Moi-même, en devenant végane, je cuisinais des salades et j'y mettais des blocs de tofu non mariné en guise de protéines. Inutile de vous dire que cela n'a pas aidé à ma transition… Par contre, en découvrant les multiples façons de l'apprêter et de le cuisiner, j'ai trouvé dans le tofu un allié grandiose. Il est passe-partout : il peut être utilisé dans des mets asiatiques, dans des mets européens, et même, comme c'est le cas ici, dans des classiques nord-américains. Essayez-le sur le gril, vous ne serez pas déçus !* »

– Jessie

DESSERTS

Qui dit végane ne dit pas nécessairement santé. Il existe beaucoup de recettes véganes pour se gâter après un repas (ou n'importe quand, en fait !). Nous essayons, le plus souvent possible, de faire attention afin d'avoir une alimentation saine. Mais parfois, il est nécessaire de faire des exceptions, histoire de garder la vie intéressante. Ces desserts sont équivalents, sinon meilleurs, que les desserts de nos vies d'omnivores !

NO.354
Jardin

Cheesecake

PRÉPARATION 25 MINUTES | **TREMPAGE** 8 HEURES | **CONGÉLATION** 20 MINUTES | **QUANTITÉ** 8 PORTIONS

Par portion : 458 calories ; protéines 9 g ; matières grasses 36 g ; glucides 32 g ; fibres 5 g ; fer 1 mg ; calcium 63 mg ; sodium 29 mg

- 500 ml (2 tasses) de noix de cajou crues
- Une recette de croûte à *cheesecake* (voir page 27)
- 60 ml (¼ de tasse) de lait de coco
- 60 ml (¼ de tasse) d'huile de noix de coco fondue
- 80 ml (⅓ de tasse) de sirop d'érable
- 30 ml (2 c. à soupe) de jus de citron
- 15 ml (1 c. à soupe) d'extrait de vanille
- 310 ml (1 ¼ tasse) de bleuets surgelés (ou framboises, fraises ou mûres)
- 15 ml (1 c. à soupe) de jus de citron
- 15 ml (1 c. à soupe) de graines de chia ou de pavot

1. La veille, faire tremper les noix de cajou dans un bol rempli d'eau froide 8 heures ou toute une nuit. Égoutter.

2. Au moment de la préparation, tapisser le fond d'un moule à charnière de 23 cm (9 po) d'une feuille de papier parchemin. Déposer la croûte à *cheesecake* au fond du moule et presser fermement.

3. Dans le contenant du mélangeur électrique, déposer les noix de cajou, le lait de coco, l'huile de noix de coco, le sirop d'érable, le jus de citron et la vanille. Émulsionner jusqu'à l'obtention d'une préparation homogène.

4. Verser les deux tiers de la préparation aux noix de cajou sur la croûte. Placer au congélateur 10 minutes.

5. Ajouter les bleuets, le jus de citron et les graines de chia dans le contenant du mélangeur avec la préparation aux noix de cajou restante. Émulsionner.

6. Verser la préparation aux bleuets dans le moule et égaliser la surface. Placer de nouveau au congélateur 10 minutes.

Doublez la recette afin de créer un gâteau encore plus impressionnant pour recevoir !

« *Quand nous avons commencé à parler d'un livre de recettes, j'ai tout de suite commencé à penser à une recette de* cheesecake*. Comme c'était mon dessert préféré avant de devenir végane, et même depuis que je le suis, j'ai grandement insisté pour parfaire cette recette. En échangeant les gras du fromage pour les bons gras des noix de cajou, on ne perd pas le goût, et tout le monde gagne. L'amatrice de gâteaux au fromage que je suis vous confirme que cette recette délicieuse et riche comblera vos désirs !* »

– Jessie

Brioches à la cannelle et au beurre d'amande

PRÉPARATION 25 MINUTES | **TEMPS DE REPOS** 1 HEURE 5 MINUTES | **CUISSON** 25 MINUTES | **QUANTITÉ** 12 BRIOCHES

Par portion: 320 calories; protéines 7 g; matières grasses 4 g; glucides 64 g; fibres 4 g; fer 3 mg; calcium 78 mg; sodium 132 mg

POUR LA PÂTE:

375 ml (1 ½ tasse) de boisson aux amandes nature à température ambiante

45 ml (3 c. à soupe) d'aquafaba (liquide contenu dans une conserve de pois chiches)

30 ml (2 c. à soupe) de sirop d'érable

2,5 ml (½ c. à thé) de sel

2,5 ml (½ c. à thé) d'extrait de vanille

10 ml (2 c. à thé) de levure instantanée à levée rapide

1 litre (4 tasses) de farine tout usage

125 ml (½ tasse) de raisins secs

POUR LA GARNITURE:

375 ml (1 ½ tasse) de dattes dénoyautées

60 ml (¼ de tasse) de beurre d'amande

7,5 ml (½ c. à soupe) de cannelle

2,5 ml (½ c. à thé) de cardamome moulue

45 ml (3 c. à soupe) de sirop d'érable

1. Dans un grand bol, mélanger la boisson aux amandes avec l'aquafaba, le sirop d'érable, le sel, la vanille et la levure. Ajouter en alternance la farine et les raisins secs et mélanger jusqu'à l'obtention d'une boule de pâte lisse.

2. Sur une surface légèrement farinée, pétrir la pâte 10 minutes.

3. Huiler légèrement un bol, puis y déposer la pâte. Couvrir le bol d'une pellicule plastique. Laisser reposer 40 minutes dans un endroit chaud.

4. Au moment de la cuisson, préchauffer le four à 205 °C (400 °F).

5. Dans un bol, déposer les dattes avec 250 ml (1 tasse) d'eau bouillante. Laisser reposer 10 minutes.

6. Égoutter les dattes et les déposer dans le contenant du robot culinaire avec le beurre d'amande, la cannelle et la cardamome. Mélanger jusqu'à l'obtention d'une préparation lisse et uniforme.

7. Sur une surface farinée, abaisser la pâte en un rectangle de 35 cm x 25 cm (14 po x 10 po) et d'une épaisseur de 1,5 cm (½ po). Étaler le beurre de dattes sur toute la surface de la pâte. Rouler la pâte sur la longueur en serrant, puis couper le rouleau en douze rondelles.

8. Dans un plat de cuisson tapissé de papier parchemin, déposer les brioches côte à côte. Laisser reposer 15 minutes.

9. Napper les brioches d'une fine couche de sirop d'érable. Cuire au four de 25 à 30 minutes.

« *Pour moi, une des parties du véganisme qui me paraissait le plus difficile était de me passer de pâtisseries, car je croyais initialement qu'il était impossible d'en faire sans utiliser de beurre ou de lait. Eh bien, qu'à cela ne tienne, voici une recette de brioches qui ne contient aucun produit laitier et qui est complètement délicieuse. De savoir qu'une telle recette existe me rassure beaucoup pour le reste de ma vie!* »

– PH

Muffins choco-bananes

PRÉPARATION 15 MINUTES | **CUISSON** 20 MINUTES | **QUANTITÉ** 10 MUFFINS

Par portion : 152 calories ; protéines 2 g ; matières grasses 6 g ; glucides 21 g ; fibres 1 g ; fer 1 mg ; calcium 17 mg ; sodium 168 mg

- 2 bananes mûres
- 45 ml (3 c. à soupe) d'aquafaba (liquide contenu dans une conserve de pois chiches)
- 45 ml (3 c. à soupe) de boisson aux amandes nature
- 30 ml (2 c. à soupe) de beurre d'amande
- 2,5 ml (½ c. à thé) d'extrait de vanille
- 2,5 ml (½ c. à thé) de sel
- 45 ml (3 c. à soupe) de sirop d'érable
- 30 ml (2 c. à soupe) d'huile de noix de coco fondue
- 250 ml (1 tasse) de farine tout usage
- 7,5 ml (½ c. à soupe) de poudre à pâte
- 40 g (environ 1 ½ oz) de chocolat noir 70 % haché ou de pépites de chocolat noir

1. Préchauffer le four à 180 °C (350 °F).

2. Dans le contenant du robot culinaire, déposer les bananes, l'aquafaba, la boisson aux amandes, le beurre d'amande, la vanille, le sel, le sirop d'érable et l'huile de noix de coco. Mélanger jusqu'à l'obtention d'une préparation lisse.

3. Dans un bol, mélanger la farine avec la poudre à pâte et le chocolat. Incorporer graduellement les ingrédients humides et remuer jusqu'à l'obtention d'une préparation lisse.

4. Déposer des moules en papier dans dix alvéoles d'un moule à muffins, puis y répartir la pâte.

5. Cuire au four de 20 à 25 minutes, jusqu'à ce qu'un cure-dent inséré au centre d'un muffin en ressorte propre.

« *Pas tous les muffins peuvent être mangés en collation : certains sont faits pour terminer le repas en beauté. C'est le cas de ces muffins choco-bananes, qui sont un réel délice. Nous devons avouer que, parfois, lorsqu'ils traînent sur le comptoir et qu'ils sont encore chauds, nous succombons à la tentation. Mais bon, il n'y a rien de mal à se gâter de temps en temps !* »

– Jessie et PH

Crème glacée aux bananes et fraises

PRÉPARATION 10 MINUTES | **QUANTITÉ** 4 PORTIONS

Par portion : 119 calories ; protéines 1 g ; matières grasses 2 g ; glucides 27 g ; fibres 2 g ; fer 1 mg ; calcium 6 mg ; sodium 5 mg

- 4 bananes mûres congelées
- 250 ml (1 tasse) de fraises ou autres fruits au choix
- 30 à 45 ml (2 à 3 c. à soupe) de lait de coco ou de boisson végétale au choix
- 2,5 ml (½ c. à thé) d'extrait de vanille

1. Dans le contenant du robot culinaire, déposer tous les ingrédients. Mélanger jusqu'à l'obtention d'une texture homogène. Au besoin, ajouter du lait de coco.

« *Voici la recette la plus simple de notre livre. Mais attention, simple ne veut pas dire sans saveur ! Cette "crème glacée" aux bananes est la preuve qu'il y a, dans les plantes, beaucoup plus de saveur que dans les produits animaux. La puissance dans la simplicité !* »

– Jessie et PH

Tapioca de Lemon Curd

PRÉPARATION 10 MINUTES | **RÉFRIGÉRATION** 4 HEURES | **QUANTITÉ** 4 PORTIONS

Par portion : 308 calories ; protéines 11 g ; matières grasses 11 g ; glucides 44 g ; fibres 9 g ; fer 3 mg ; calcium 251 mg ; sodium 16 mg

2 blocs de tofu soyeux mou nature (de type Sunrise) de 300 g chacun

125 ml (½ tasse) de sirop d'érable

5 ml (1 c. à thé) de curcuma

4 citrons, oranges ou pamplemousses (zeste et jus)

125 ml (½ tasse) de graines de chia blanches ou noires

1. Dans le contenant du robot culinaire, déposer le tofu, le sirop d'érable, le curcuma, le zeste et le jus de citron. Mélanger à vitesse élevée.

2. Ajouter les graines de chia et remuer à l'aide d'une cuillère. Réfrigérer pour un minimum de 4 heures.

3. Servir avec des fruits frais au choix.

Ce tapioca peut servir de déjeuner ! Si désiré, sucrez-le avec de la purée de dattes.

« *Cette recette est le parfait dessert léger d'été. Le citron est facilement interchangeable selon vos goûts. Pour moi, l'acidité du citron est idéale, mais quand je fais le dessert pour Jessie, je le fais à l'orange. Elle préfère le sucré !* »

– PH

Biscuits aux flocons d'avoine

PRÉPARATION 15 MINUTES | **CUISSON** 25 MINUTES | **QUANTITÉ** 12 BISCUITS

Par portion : 202 calories ; protéines 5 g ; matières grasses 6 g ; glucides 33 g ; fibres 4 g ; fer 2 mg ; calcium 26 mg ; sodium 9 mg

- 2 bananes mûres
- 750 ml (3 tasses) de flocons d'avoine à cuisson rapide
- 250 ml (1 tasse) de compote de pommes non sucrée
- 180 ml (⅔ de tasse) de fruits séchés au goût, coupés en dés
- 80 ml (⅓ de tasse) de noix de Grenoble hachées
- 80 ml (⅓ de tasse) de graines de tournesol
- 5 ml (1 c. à thé) de cannelle
- 5 ml (1 c. à thé) d'extrait de vanille ou d'amande

1. Préchauffer le four à 180 °C (350 °F).

2. Dans un bol, réduire les bananes en purée. Incorporer le reste des ingrédients.

3. À l'aide d'une cuillère à crème glacée, former douze boules de pâte en utilisant environ 45 ml (3 c. à soupe) de pâte pour chacune d'elles. Déposer les boules sur une plaque de cuisson tapissée de papier parchemin, en les espaçant d'environ 5 cm (2 po).

4. Cuire au four de 25 à 30 minutes. Retirer du four et laisser tiédir sur une grille.

« *Après les entraînements du samedi matin, nous recevions toujours un biscuit aux flocons d'avoine pour reprendre de l'énergie. La beauté avec ce classique, c'est qu'il n'est pas si mauvais pour la santé. Il s'agit donc d'un dessert sans réel aspect négatif, mis à part celui de n'être que trop éphémère. Laissez-les sur le comptoir et regardez-les disparaître !* »

– PH

Brownies

PRÉPARATION 20 MINUTES | **CUISSON** 30 MINUTES | **QUANTITÉ** 8 PORTIONS

Par portion: 328 calories; protéines 10 g; matières grasses 13 g; glucides 48 g; fibres 7 g; fer 3 mg; calcium 55 mg; sodium 327 mg

125 ml (½ tasse) de dattes dénoyautées

2 œufs de lin (voir page 24)

1 boîte de haricots noirs de 540 ml, rincés et égouttés

125 ml (½ tasse) de sucre

60 ml (¼ de tasse) de farine

60 ml (¼ de tasse) de cacao

45 ml (3 c. à soupe) de beurre d'arachide

5 ml (1 c. à thé) d'extrait de vanille ou d'amande, selon le goût désiré

2,5 ml (½ c. à thé) de poudre à pâte

1,25 ml (¼ de c. à thé) de bicarbonate de soude

125 ml (½ tasse) de chocolat noir 70 % coupé en morceaux

60 ml (¼ de tasse) de pistaches hachées ou autres noix ou fruits séchés hachés

1. Préchauffer le four à 180 °C (350 °F).

2. Dans un bol, déposer les dattes avec 125 ml (½ tasse) d'eau bouillante. Laisser reposer de 2 à 3 minutes. Égoutter.

3. Dans le contenant du robot culinaire, déposer tous les ingrédients, à l'exception du chocolat et des pistaches. Mélanger jusqu'à l'obtention d'une texture lisse.

4. Transvider la préparation dans un bol et y ajouter le chocolat. Remuer.

5. Tapisser un plat de cuisson carré de 23 cm (9 po) de papier parchemin, puis y verser la préparation au chocolat. Égaliser la surface. Parsemer de pistaches.

6. Cuire au four 30 minutes. Retirer du four et laisser tiédir avant de couper en huit carrés.

Ces brownies se congèlent très bien !

« *Aucune section dessert n'est complète sans un brownie. Souvent, je trouve que les brownies véganes qu'on sert dans les restaurants sont secs et difficiles à apprécier. C'est pourquoi il était important pour moi de faire une version savoureuse avec une texture exceptionnelle. Vous l'essaierez et vous l'adopterez aussitôt !* »

– Jessie

Muffins choco-raisins

PRÉPARATION 15 MINUTES | **CUISSON** 20 MINUTES | **QUANTITÉ** 12 MUFFINS

Par portion : 163 calories ; protéines 3 g ; matières grasses 7 g ; glucides 24 g ; fibres 2 g ; fer 1 mg ; calcium 41 mg ; sodium 208 mg

- 5 ml (1 c. à thé) de vinaigre de cidre
- 250 ml (1 tasse) de boisson de soya nature non sucrée
- 80 ml (⅓ de tasse) d'huile de canola
- 5 ml (1 c. à thé) d'extrait de vanille
- 180 ml (¾ de tasse) de cassonade
- 250 ml (1 tasse) de farine tout usage
- 80 ml (⅓ de tasse) de cacao
- 125 ml (½ tasse) de raisins secs
- 3,75 ml (¾ de c. à thé) de poudre à pâte
- 3,75 ml (¾ de c. à thé) de bicarbonate de soude
- 2,5 ml (½ c. à thé) de sel

1. Préchauffer le four à 180 °C (350 °F).

2. Dans un bol, mélanger le vinaigre de cidre avec la boisson de soya. Laisser reposer de 3 à 4 minutes.

3. Ajouter l'huile, la vanille et la cassonade dans le bol. Mélanger jusqu'à l'obtention d'une préparation homogène.

4. Dans un autre bol, mélanger le reste des ingrédients.

5. Incorporer délicatement les ingrédients humides aux ingrédients secs et remuer jusqu'à l'obtention d'une préparation lisse.

6. Déposer des moules en papier dans les douze alvéoles d'un moule à muffins, puis y répartir la pâte.

7. Cuire au four 20 minutes, jusqu'à ce qu'un cure-dent inséré au centre d'un muffin en ressorte propre.

8. Retirer du four et laisser tiédir sur une grille.

« *Ces muffins sont le premier dessert que PH a cuisiné en sortant d'OD. Les raisins ajoutent une texture incomparable et un goût légèrement sucré qui est beaucoup moins agressif que des pépites de chocolat dans un muffin déjà si chocolaté. Il m'a conquise par la nourriture !* »

– Jessie

Barres coco-choco

PRÉPARATION 20 MINUTES | **RÉFRIGÉRATION** 16 HEURES | **QUANTITÉ** 10 BARRES

Par portion : 261 calories ; protéines 2 g ; matières grasses 24 g ; glucides 11 g ; fibres 4 g ; fer 4 mg ; calcium 27 mg ; sodium 37 mg

- 1 boîte de lait de coco non réduit en gras de 400 ml
- 80 ml (⅓ de tasse) d'huile de noix de coco
- 30 ml (2 c. à soupe) de sucre d'érable
- 1 pincée de sel
- 1 lime (zeste)
- 30 ml (2 c. à soupe) de graines de chia blanches
- 250 ml (1 tasse) de noix de coco sucrée râpée
- 125 ml (½ tasse) de chocolat noir 70 % coupé en morceaux

1. Réfrigérer la boîte de lait de coco 8 heures ou toute une nuit.

2. À l'aide d'une cuillère, prélever la crème de coco, soit la partie solide qui se trouve à la surface du lait de coco, puis la déposer dans une casserole. Réserver le lait de coco au frais pour une utilisation ultérieure.

3. Chauffer la crème de coco à feu moyen jusqu'à ce qu'elle soit fondue.

4. Ajouter l'huile de noix de coco, le sucre d'érable, le sel, le zeste de lime et les graines de chia dans la casserole. Chauffer jusqu'à l'obtention d'une préparation homogène.

5. Dans un bol, déposer la noix de coco. Couvrir de la préparation à la crème de coco et remuer.

6. Tapisser un moule à pain de papier parchemin, puis y verser la préparation. Égaliser la surface. Réfrigérer de 8 à 12 heures.

7. Couper en dix barres, puis laisser reposer.

8. Dans un bain-marie, faire fondre le chocolat. À l'aide d'une fourchette, former des filaments de chocolat sur les barres. Réserver au frais jusqu'au moment de servir.

« *Ces barres sont parfaites comme dessert lorsque l'on reçoit des amis à souper. Elles sont belles, appétissantes et, surtout, délectables. Elles sont également conviviales et faciles à partager en groupe autour d'une table. Bien qu'elles soient un brin complexes à réaliser, elles en valent la peine !* »

– Jessie et PH

WEEKEND

Dans la fin de semaine réside une grande partie des plaisirs de la vie. Cela est également vrai dans la nourriture. Du brunch que l'on prend le temps de savourer aux repas festifs du samedi soir, voici nos incontournables pour décupler les petits bonheurs du weekend !

BRUNCH

Les brunchs sont une tradition familiale qui doit rester à tout jamais, et ce, même en étant végane. Les œufs, le bacon et le jambon sont facilement remplaçables lorsqu'on sait comment s'y prendre. Nous vous présentons donc nos *musts* pour un brunch réussi !

Tofu brouillé

PRÉPARATION 15 MINUTES | **CUISSON** 10 MINUTES | **QUANTITÉ** 4 PORTIONS

Par portion : 230 calories ; protéines 21 g ; matières grasses 13 g ; glucides 8 g ; fibres 3 g ; fer 4 mg ; calcium 142 mg ; sodium 34 mg

- 15 ml (1 c. à soupe) d'huile d'olive
- ½ poivron rouge coupé en dés
- ½ contenant de champignons de 227 g, coupés en quartiers
- ½ oignon rouge haché
- 125 ml (½ tasse) d'épinards ou de chou kale haché
- 1 bloc de tofu ferme de 454 g, émietté ou râpé
- 15 ml (1 c. à soupe) de coriandre moulue
- 5 ml (1 c. à thé) de curcuma
- 2,5 ml (½ c. à thé) de poudre de cari
- 2,5 ml (½ c. à thé) de thym haché
- Piment de Cayenne au goût
- Sel et poivre au goût
- 60 ml (¼ de tasse) de boisson végétale nature au choix

1. Dans une poêle, chauffer l'huile d'olive à feu moyen. Cuire le poivron, les champignons, l'oignon rouge et les épinards 5 minutes.

2. Ajouter le tofu émietté, la coriandre, le curcuma, le cari, le thym et le piment de Cayenne. Saler et poivrer. Cuire 5 minutes à feu doux-moyen en remuant de temps en temps.

3. Ajouter 15 ml (1 c. à soupe) de boisson végétale à la fois en remuant délicatement, jusqu'à l'obtention de la texture désirée.

Soyez créatifs avec les épices ! Ce tofu brouillé est parfait dans des burritos déjeuner ou avec le bacon de tempeh de la page suivante.

« *La plupart des gens mangent des œufs parce que ceux-ci sont une façon rapide d'aller chercher une bonne quantité de protéines sans trop se casser la tête. Le tofu brouillé offre la même simplicité, sans le cholestérol et le gras des œufs. C'est devenu mon "go-to" pour les matins pressés.* »

– PH

Bacon de tempeh

PRÉPARATION 10 MINUTES | **CUISSON** 10 MINUTES | **QUANTITÉ** 4 PORTIONS

Par portion : 214 calories ; protéines 12 g ; matières grasses 13 g ; glucides 14 g ; fibres 6 g ; fer 4 mg ; calcium 178 mg ; sodium 152 mg

125 ml (½ tasse) de bouillon de légumes

30 ml (2 c. à soupe) d'huile végétale

30 ml (2 c. à soupe) de sirop d'érable

15 ml (1 c. à soupe) de vinaigre de cidre

5 ml (1 c. à thé) de poudre d'ail

5 ml (1 c. à thé) de paprika fumé doux

1 paquet de tempeh de 240 g, coupé en lanières fines

1. Dans un bol, mélanger tous les ingrédients, à l'exception du tempeh.

2. Chauffer une poêle à feu moyen, puis y déposer les tranches de tempeh et verser la préparation liquide. Porter à ébullition, puis réduire le feu et laisser mijoter jusqu'à ce que tout le liquide soit absorbé, en retournant le tempeh à mi-cuisson.

« *Le bacon de tempeh est un classique de la cuisine végane. On peut s'en servir comme accompagnement, dans un BLT ou dans un burrito déjeuner. Les épices dans la recette peuvent varier selon vos goûts, mais le paprika fumé donne une touche de fumée très légère tout en relevant la saveur. Cuisiné de cette façon, le tempeh plaira à tous !* »

– Jessie et PH

Fèves au lard

PRÉPARATION 15 MINUTES | **TREMPAGE** 8 HEURES | **CUISSON** 6 HEURES | **QUANTITÉ** 8 PORTIONS

Par portion : 184 calories ; protéines 5 g ; matières grasses 1 g ; glucides 43 g ; fibres 2 g ; fer 1 mg ; calcium 73 mg ; sodium 433 mg

1 litre (4 tasses) de haricots blancs secs

250 ml (1 tasse) de sirop d'érable

125 ml (½ tasse) de ketchup

30 ml (2 c. à soupe) de sauce soya

15 ml (1 c. à soupe) de moutarde de Dijon

2 oignons hachés grossièrement

Sel et poivre au goût

1. La veille, déposer les haricots dans un grand bol et couvrir d'eau froide. Laisser tremper 8 heures ou toute une nuit au frais.

2. Au moment de la préparation, rincer et égoutter les haricots. Jeter l'eau de trempage.

3. Dans une casserole, mélanger tous les ingrédients avec 1,5 litre (6 tasses) d'eau froide. Porter à ébullition, puis cuire 6 heures à feu doux.

Il est possible de faire cette recette à la mijoteuse : il suffit de cuire le tout 9 heures à faible intensité.

« *Le lard salé, dans les fèves au lard, ne sert qu'à ajouter un goût salé, facilement remplaçable par de la sauce soya ou de la sauce tamari. Cette recette se mariera à merveille avec le bacon de tempeh de la page précédente pour offrir un brunch qui rendra envieux les omnivores ! Dans le temps des sucres, cette recette me ramène à ma jeunesse en Beauce.* »

– Jessie

Pain doré à la crème de coco

PRÉPARATION 15 MINUTES | **TEMPS DE REPOS** 30 MINUTES | **CUISSON** 2 MINUTES | **QUANTITÉ** 4 PORTIONS

Par portion : 670 calories ; protéines 11 g ; matières grasses 19 g ; glucides 112 g ; fibres 12 g ; fer 4 mg ; calcium 316 mg ; sodium 423 mg

- 80 ml (⅓ de tasse) de graines de chia
- 250 ml (1 tasse) de jus de pomme
- 125 ml (½ tasse) de sirop d'érable
- 375 ml (1 ½ tasse) de boisson aux amandes nature
- 5 ml (1 c. à thé) d'extrait de vanille
- 8 tranches de pain multigrain végane
- 30 ml (2 c. à soupe) d'huile de canola
- 250 ml (1 tasse) de crème de coco sucrée
- 1,25 ml (¼ de c. à thé) de cannelle
- 125 ml (½ tasse) de bleuets
- 250 ml (1 tasse) de framboises
- 10 fraises émincées

1. Dans un bol, mélanger les graines de chia avec le jus de pomme. Laisser reposer de 30 à 40 minutes.

2. Dans le bol contenant les graines de chia, ajouter 80 ml (⅓ de tasse) de sirop d'érable, la boisson aux amandes et la vanille. Émulsionner la préparation à l'aide du mélangeur-plongeur, jusqu'à l'obtention d'une préparation lisse.

3. Faire tremper les tranches de pain dans la préparation liquide de 30 secondes à 1 minute de chaque côté.

4. Dans une poêle, chauffer l'huile à feu doux-moyen. Égoutter les tranches de pain, puis les faire dorer dans la poêle de 1 à 2 minutes de chaque côté.

5. Dans un bol, fouetter la crème de coco avec la cannelle et le reste du sirop d'érable.

6. Au moment de servir, garnir le pain doré de crème de coco et de petits fruits.

« *Il était obligatoire pour moi d'ajouter une recette de pain doré dans ce livre, car il s'agit de mon déjeuner préféré. Lorsque j'ai réalisé que c'était possible de remplacer les œufs par des graines de chia ou des graines de lin moulues, c'est la première recette que j'ai essayée. À mon grand plaisir, elle fonctionne à merveille !* »

– PH

FINGER FOOD

Tout comme le brunch, le plaisir d'écouter un match de sport entre amis est un classique du weekend. Pas obligé de manger des ailes de poulet ou des bâtonnets de fromage pour avoir une soirée réussie ! Voici des *snacks* de sportifs de salon à faire baver les athlètes.

Chaussons aux oignons caramélisés

PRÉPARATION 15 MINUTES | **CUISSON** 28 MINUTES | **QUANTITÉ** 8 CHAUSSONS

Par portion : 276 calories ; protéines 3 g ; matières grasses 15 g ; glucides 30 g ; fibres 2 g ; fer 1 mg ; calcium 28 mg ; sodium 167 mg

- 30 ml (2 c à soupe) d'huile de coco
- 2 gros oignons jaunes hachés finement
- 1 gros oignon rouge haché finement
- 15 ml (1 c. à soupe) de thym haché
- 15 ml (1 c. à soupe) d'estragon haché
- 15 ml (1 c. à soupe) de sirop d'érable
- Sel et poivre au goût
- 400 g (environ 1 lb) de pâte à tarte végane

1. Préchauffer le four à 205 °C (400 °F).

2. Dans une poêle, chauffer l'huile de coco à feu moyen. Cuire les oignons et les fines herbes quelques minutes, jusqu'à ce que les oignons soient translucides.

3. Ajouter le sirop d'érable et cuire 3 minutes. Saler et poivrer.

4. Sur une surface farinée, abaisser la pâte à tarte en un carré de 30 cm (12 po) et d'environ 0,5 cm (¼ de po) d'épaisseur. Couper la pâte en huit carrés.

5. Répartir les oignons caramélisés sur la moitié de la surface des carrés de pâte. Replier la pâte sur la garniture et sceller le pourtour des chaussons avec une fourchette.

6. Déposer les chaussons sur une plaque de cuisson tapissée de papier parchemin. Cuire au four de 25 à 30 minutes, jusqu'à ce que la pâte soit dorée.

« *Les chaussons aux oignons caramélisés se partagent comme un charme entre convives et se congèlent très bien. Ils deviennent donc un repas parfait à sortir lors d'événements spéciaux, comme les partys de famille du temps des Fêtes, les potlucks ou les simples soirées entre amis. C'est la recette idéale pour montrer à mon entourage que mon alimentation est loin d'être restreignante.* »

– Jessie

Jalapeños farcis

PRÉPARATION 15 MINUTES | **TREMPAGE** 8 HEURES | **CUISSON** 15 MINUTES | **QUANTITÉ** 12 JALAPEÑOS FARCIS

Par portion (1 jalapeño farci) : 181 calories ; protéines 4 g ; matières grasses 15 g ; glucides 9 g ; fibres 1 g ; fer 2 mg ; calcium 22 mg ; sodium 226 mg

- 500 ml (2 tasses) de noix de cajou
- 30 ml (2 c. à soupe) de levure alimentaire en flocons
- 15 ml (1 c. à soupe) d'eau
- 15 ml (1 c. à soupe) de feuilles de coriandre
- 1 citron (jus)
- 2,5 ml (½ c. à thé) de paprika fumé doux
- 2,5 ml (½ c. à thé) de coriandre moulue
- 5 ml (1 c. à thé) de sel
- Poivre au goût
- 60 ml (¼ de tasse) de fromage végane râpé (facultatif)
- 6 jalapeños
- 45 ml (3 c. à soupe) d'huile végétale

1. La veille, déposer les noix de cajou dans un bol et couvrir d'eau froide. Laisser tremper 8 heures ou toute une nuit.

2. Au moment de la cuisson, égoutter les noix de cajou.

3. Préchauffer le four à 205 °C (400 °F).

4. Dans le contenant du robot culinaire, déposer les noix de cajou, la levure, l'eau, les feuilles de coriandre, le jus de citron, le paprika et la coriandre moulue. Mélanger jusqu'à ce que les ingrédients soient broyés.

5. Ajouter le sel, le poivre et, si désiré, le fromage végane. Remuer à l'aide d'une cuillère en bois.

6. Couper les jalapeños en deux sur la longueur et retirer les pépins.

7. Sur une plaque de cuisson tapissée de papier parchemin, déposer les demi-jalapeños. Garnir de la préparation aux noix, puis arroser d'huile végétale.

8. Cuire au four de 15 à 20 minutes, jusqu'à ce que les jalapeños soient dorés. Servir avec la sauce aux arachides (voir page 216).

« *Pour ceux qui, comme moi, aiment ajouter un peu de chaleur dans leur* party, *cette recette est parfaite. Les jalapeños sont à la base de la pyramide des piments, donc ils ne volent pas la saveur par leur chaleur, ils la complémentent ! L'été, avec une bière, cette recette est devenue un classique.* »

– PH

Pelures de pommes de terre farcies au brocoli et tempeh

PRÉPARATION 20 MINUTES | **MARINAGE** 30 MINUTES | **CUISSON** 1 HEURE 10 MINUTES | **QUANTITÉ** 24 BOUCHÉES

Par portion (1 bouchée): 85 calories; protéines 2 g; matières grasses 4 g; glucides 10 g; fibres 2 g; fer 1 mg; calcium 24 mg; sodium 37 mg

- 6 pommes de terre
- 45 ml (3 c. à soupe) d'huile d'olive
- ½ bloc de tempeh de 240 g, coupé en dés
- ¼ de brocoli coupé en petits bouquets
- 60 ml (¼ de tasse) d'échalotes sèches (françaises) hachées
- 80 ml (⅓ de tasse) de noix de Grenoble hachées
- Sel et poivre au goût

POUR LE BACON DE CAROTTE:

- 1 carotte
- 15 ml (1 c. à soupe) d'huile de canola
- 15 ml (1 c. à soupe) de sirop d'érable
- 10 ml (2 c. à thé) de sauce soya
- 10 ml (2 c. à thé) de tahini (beurre de sésame)
- 2,5 ml (½ c. à thé) de fumée liquide

1. Peler la carotte. À l'aide d'une mandoline, couper la carotte en fines tranches.

2. Dans un bol, mélanger l'huile de canola avec le sirop d'érable, la sauce soya, le tahini et la fumée liquide. Ajouter les tranches de carotte et remuer. Laisser mariner au frais 30 minutes.

3. Au moment de la cuisson, préchauffer le four à 180 °C (350 °F).

4. Emballer les pommes de terre individuellement dans du papier d'aluminium. Cuire au four de 45 minutes à 1 heure, jusqu'à tendreté.

5. Retirer le papier d'aluminium des pommes de terre, puis les couper en quatre quartiers sur la longueur. Prélever la chair des pommes de terre en prenant soin de ne pas abîmer les pelures. Couper la chair en morceaux.

6. Pendant la cuisson des pommes de terre, déposer les tranches de carotte sur une plaque de cuisson tapissée de papier parchemin. Cuire au four de 18 à 22 minutes en remuant quelques fois, jusqu'à ce que les tranches soient dorées. Égoutter sur du papier absorbant. Couper en morceaux. Réserver.

7. Dans une grande poêle, chauffer 15 ml (1 c. à soupe) d'huile d'olive à feu moyen. Cuire le tempeh de 4 à 5 minutes en remuant de temps en temps. Réserver dans une assiette.

8. Dans la même poêle, chauffer le reste de l'huile d'olive à feu moyen. Cuire les morceaux de chair de pommes de terre de 5 à 6 minutes, en les retournant à mi-cuisson.

9. Dans un bol, déposer la chair de pommes de terre, le brocoli, les échalotes sèches, les noix et le tempeh. Saler et poivrer. Remuer délicatement.

10. Déposer les pelures de pommes de terre sur une plaque de cuisson tapissée de papier parchemin. Garnir les pelures de préparation au tempeh.

11. Cuire au four de 15 à 20 minutes. À la sortie du four, garnir de bacon de carotte.

Ailes de chou-fleur

PRÉPARATION 15 MINUTES | **CUISSON** 40 MINUTES | **QUANTITÉ** 4 PORTIONS

Par portion: 424 calories; protéines 15 g; matières grasses 17 g; glucides 54 g; fibres 8 g; fer 3 mg; calcium 84 mg; sodium 946 mg

- 1 chou-fleur
- 180 ml (¾ de tasse) de farine tout usage
- 10 ml (2 c. à thé) de poudre d'ail
- 5 ml (1 c. à thé) de paprika fumé doux
- Sel et poivre au goût
- 180 ml (¾ de tasse) de boisson de soya nature
- 125 ml (½ tasse) de beurre végétal
- 80 ml (⅓ de tasse) de sriracha
- 80 ml (⅓ de tasse) de ketchup
- 30 ml (2 c. à soupe) de sirop d'érable
- 30 ml (2 c. à soupe) de sauce Worcestershire végane

1. Préchauffer le four à 190 °C (375 °F).

2. Couper le chou-fleur en morceaux de la grosseur d'une aile de poulet.

3. Dans un bol, mélanger la farine avec la poudre d'ail, le paprika, le sel, le poivre et la boisson de soya.

4. Tremper les morceaux de chou-fleur dans la préparation à la farine, puis les égoutter.

5. Déposer les morceaux de chou-fleur sur une plaque de cuisson tapissée de papier parchemin. Cuire au four 20 minutes.

6. Pendant ce temps, faire fondre le beurre dans un bol au micro-ondes.

7. Dans le bol contenant le beurre fondu, ajouter la sriracha, le ketchup, le sirop d'érable et la sauce Worcestershire. Remuer.

8. Retirer les ailes de chou-fleur du four, puis les badigeonner de sauce. Remettre au four 20 minutes, jusqu'à ce que les ailes soient légèrement dorées.

« *Les ailes de chou-fleur sont la première recette que nous avons faite ensemble. C'est pour cette raison que nous avons décidé d'en faire une vidéo sur notre chaîne YouTube. Nous sommes persuadés que tout le monde aimera cette recette, qui possède tous les côtés positifs, sans le négatif, des ailes de poulet. Pas de problème avec les os sur des choux-fleurs !* »

– Jessie et PH

Frites de tofu

PRÉPARATION 15 MINUTES | **CUISSON** 20 MINUTES | **QUANTITÉ** 4 PORTIONS

Par portion : 216 calories ; protéines 16 g ; matières grasses 15 g ; glucides 5 g ; fibres 1 g ; fer 2 mg ; calcium 121 mg ; sodium 581 mg

1 bloc de tofu extra-ferme de 350 g

30 ml (2 c. à soupe) d'huile d'olive

30 ml (2 c. à soupe) de sauce soya

15 ml (1 c. à soupe) de tabasco

15 ml (1 c. à soupe) d'épices à steak (ou d'épices cajun)

60 ml (¼ de tasse) de levure alimentaire en flocons (facultatif, pour un goût fromagé)

Sel et poivre au goût

1. Préchauffer le four à 205 °C (400 °F).

2. Envelopper le tofu dans du papier absorbant. Déposer un objet lourd sur le tofu et laisser reposer 10 minutes afin de retirer le surplus d'eau.

3. Couper le tofu en bâtonnets d'environ 1 cm (½ po) d'épaisseur.

4. Dans un bol, mélanger l'huile avec la sauce soya et le tabasco. Ajouter les bâtonnets de tofu et remuer pour bien les enrober de sauce.

5. Dans un autre bol, déposer les épices à steak. Si désiré, incorporer la levure alimentaire. Enrober les bâtonnets de cette préparation.

6. Sur une plaque de cuisson tapissée de papier parchemin, déposer les bâtonnets de tofu. Cuire au four 20 minutes, en retournant les frites à mi-cuisson. Saler et poivrer. Servir avec une sauce au choix.

« *Cette recette de frites de tofu est sans doute la recette la plus simple de notre livre, mais simple ne veut pas dire sans saveur. Lorsque je veux me faire une collation rapide, c'est toujours mon choix. Servi comme* finger food, *c'est parfait pour manger devant votre série télé préférée.* Orange is the New Black *a vu passer beaucoup de blocs de tofu !* »

– Jessie

SOUPERS CHICS

Entre amis ou avec la famille, il est capital d'avoir en banque quelques repas conviviaux à partager. Que ce soit pour une occasion spéciale comme Noël ou une fête, ou encore pour un simple dimanche soir, vous n'avez pas à sacrifier les traditions en passant au véganisme. Profitez de nos recettes en groupe, vous comprendrez !

Risotto au cari rouge thaïlandais

PRÉPARATION 15 MINUTES | **CUISSON** 15 MINUTES | **QUANTITÉ** 4 PORTIONS

Par portion : 511 calories ; protéines 6 g ; matières grasses 30 g ; glucides 53 g ; fibres 3 g ; fer 9 mg ; calcium 20 mg ; sodium 1378 mg

- 2 boîtes de lait de coco de 400 ml chacune
- 1 cube de bouillon de légumes
- 15 ml (1 c. à soupe) de feuilles de lime kaffir
- 15 ml (1 c. à soupe) de citronnelle hachée
- 15 ml (1 c. à soupe) de coriandre hachée
- 30 ml (2 c. à soupe) d'huile de coco
- ½ oignon haché finement
- 3 gousses d'ail hachées
- 15 ml (1 c. à soupe) de gingembre râpé
- 30 ml (2 c. à soupe) de pâte de cari rouge thaïlandaise
- 250 ml (1 tasse) de riz arborio
- 7,5 ml (½ c. à soupe) de sucre
- ½ lime (jus et zeste)
- 15 ml (1 c. à soupe) de sauce tamari
- Sel et poivre au goût
- Quelques feuilles de coriandre

1. Dans une casserole, mélanger le lait de coco avec le cube de bouillon, les feuilles de lime kaffir, la citronnelle et la coriandre. Porter à ébullition, puis éteindre le feu. Couvrir la casserole.

2. Dans une autre casserole, chauffer l'huile de coco à feu moyen. Cuire l'oignon quelques minutes, jusqu'à ce qu'il soit translucide.

3. Ajouter l'ail, le gingembre et la pâte de cari dans la casserole contenant l'oignon. Cuire 2 minutes en remuant.

4. Ajouter le riz et cuire quelques secondes en remuant.

5. Verser environ 250 ml (1 tasse) de bouillon chaud et poursuivre la cuisson à feu moyen en remuant sans arrêt, jusqu'à ce que le liquide soit complètement absorbé. Répéter cette opération en ajoutant 250 ml (1 tasse) de bouillon à la fois et en remuant constamment, jusqu'à ce qu'il n'y ait plus de bouillon chaud et que le riz soit crémeux.

6. Assaisonner le risotto avec le sucre, le jus de lime, le zeste, la sauce tamari, le sel et le poivre. Garnir de coriandre.

La patience est la clé pour faire un risotto : il faut lui donner de l'amour !

« *Le risotto est très simple à cuisiner, mais souvent les recettes ne sont pas très variées. Cette version au cari rouge et au lait de coco permet d'apporter une nouvelle dimension à ce classique, qui me fait voyager en Asie le temps d'un repas. Parfait en accompagnement ou en plat principal léger !* »

– Jessie

Tofu à la bourguignonne sur purée de céleri-rave

PRÉPARATION 20 MINUTES | **TEMPS DE REPOS** 10 MINUTES | **CUISSON** 22 MINUTES | **QUANTITÉ** 4 PORTIONS

Par portion : 498 calories ; protéines 27 g ; matières grasses 21 g ; glucides 44 g ; fibres 8 g ; fer 7 mg ; calcium 235 mg ; sodium 603 mg

- 1 bloc de tofu ferme de 454 g
- 2 carottes
- 45 ml (3 c. à soupe) d'huile d'olive
- 12 oignons perlés (non marinés) pelés
- 1 contenant de champignons de 227 g, coupés en quatre
- 4 feuilles de bette à carde émincées
- 45 ml (3 c. à soupe) de farine
- 180 ml (¾ de tasse) de vin rouge
- 250 ml (1 tasse) de bouillon de légumes
- 30 ml (2 c. à soupe) de pâte de tomates
- 1 tige de thym
- 1 feuille de laurier
- Sel et poivre au goût
- 1 céleri-rave pelé et coupé en cubes
- 1 pomme de terre pelée et coupée en cubes
- 15 ml (1 c. à soupe) de préparation crémeuse au soya (de type Belsoy)
- 45 ml (3 c. à soupe) de persil haché

1. Envelopper le tofu dans du papier absorbant. Déposer un objet lourd sur le tofu et laisser reposer 10 minutes afin de retirer le surplus d'eau.

2. Couper le tofu en cubes.

3. Peler les carottes, puis les couper en rondelles.

4. Dans une casserole, chauffer 15 ml (1 c. à soupe) d'huile d'olive à feu moyen. Cuire les oignons perlés, les champignons et les carottes de 1 à 2 minutes. Ajouter la bette à carde et cuire 1 minute.

5. Saupoudrer de farine et remuer. Ajouter les cubes de tofu, le vin, le bouillon de légumes, la pâte de tomates et les fines herbes. Saler, poivrer et remuer. Porter à ébullition, puis laisser mijoter de 20 à 25 minutes à feu doux-moyen.

6. Dans une autre casserole, déposer les cubes de céleri-rave et de pomme de terre. Couvrir d'eau froide et saler. Porter à ébullition, puis couvrir et laisser mijoter à feu doux de 12 à 15 minutes, jusqu'à tendreté des légumes. Égoutter.

7. Réduire le céleri-rave et la pomme de terre en purée avec la préparation crémeuse au soya. Saler et poivrer.

8. Répartir la purée de céleri-rave dans les assiettes. Garnir de la préparation au tofu. Parsemer de persil.

Afin de permettre au tofu d'absorber davantage les saveurs, congelez le bloc au moins une journée à l'avance, puis décongelez-le simplement au moment du repas en le plaçant dans un bol d'eau tiède.

« *Quand je suis déménagé en appartement pour la première fois, le bœuf bourguignon était une de mes recettes préférées, car elle ne nécessitait qu'un peu de préparation. Je la mettais au four avant d'aller m'entraîner et en revenant, j'avais mon souper prêt ! Voici une version véganisée qui ne perd rien du goût de la recette classique.* »

– PH

Cannellonis au tofu et chou kale

PRÉPARATION 20 MINUTES | **CUISSON** 32 MINUTES | **QUANTITÉ** 4 PORTIONS

Par portion : 699 calories ; protéines 30 g ; matières grasses 25 g ; glucides 90 g ; fibres 7 g ; fer 7 mg ; calcium 320 mg ; sodium 1992 mg

- 15 ml (1 c. à soupe) d'huile d'olive
- 1 oignon haché
- 15 ml (1 c. à soupe) d'ail haché
- 4 grandes feuilles de chou kale hachées
- ½ paquet de tofu soyeux mou (de type Sunrise) de 300 g
- 300 g (⅔ de lb) de tofu ferme coupé en cubes
- 15 ml (1 c. à soupe) de poudre de cari
- Sel et poivre au goût
- 6 feuilles de lasagne fraîches véganes coupées en deux
- 500 ml (2 tasses) de sauce tomate
- 375 ml (1 ½ tasse) de mozzarella végane râpée

1. Préchauffer le four à 190 °C (375 °F).

2. Dans une poêle, chauffer l'huile à feu moyen. Cuire l'oignon, l'ail et le chou kale de 2 à 3 minutes en remuant. Retirer du feu et laisser tiédir.

3. Dans le contenant du robot culinaire, déposer le tofu soyeux, le tofu ferme, la poudre de cari, le sel et le poivre. Mélanger jusqu'à l'obtention d'une préparation homogène.

4. Dans un bol, mélanger la préparation au tofu avec la préparation au chou kale.

5. Dans une casserole d'eau bouillante, cuire les feuilles de lasagne selon les indications de l'emballage. Égoutter et assécher sur du papier absorbant.

6. À la base de chaque feuille de lasagne, répartir un peu de préparation au tofu. Rouler en serrant.

7. Dans un plat de cuisson de 33 cm x 23 cm (13 po x 9 po), verser le quart de la sauce tomate. Déposer les cannellonis dans le plat, joint dessous. Napper du reste de la sauce et couvrir de mozzarella.

8. Couvrir le plat d'une feuille de papier d'aluminium. Cuire au four de 25 à 30 minutes.

9. Retirer la feuille de papier d'aluminium et poursuivre la cuisson au four 5 minutes.

« *Les cannellonis sont souvent remplis de fromage et de viande hachée, rendant ce classique italien extrêmement riche en gras et en cholestérol. Nous avons donc décidé d'en faire une version beaucoup plus santé, tout en nous assurant qu'elle reste une bonne source de protéines et en ne négligeant pas l'aspect* comfort food *de la recette traditionnelle. Et avec du kale, tout devient beaucoup plus nutritif !* »

– Jessie et PH

Tourtière du Lac-Saint-Jean

PRÉPARATION 30 MINUTES | **MARINAGE** 30 MINUTES | **RÉFRIGÉRATION** 2 HEURES
CUISSON 3 HEURES 35 MINUTES | **QUANTITÉ** 8 PORTIONS

Par portion : 454 calories ; protéines 19 g ; matières grasses 20 g ; glucides 48 g ; fibres 6 g ; fer 4 mg ; calcium 108 mg ; sodium 594 mg

- 1 bloc de tofu ferme de 454 g, coupé en cubes
- 30 ml (2 c. à soupe) de sauce soya
- 15 ml (1 c. à soupe) d'assaisonnements italiens
- 15 ml (1 c. à soupe) d'huile végétale
- 1 oignon haché
- 250 ml (1 tasse) de haricots blancs en conserve
- 250 ml (1 tasse) de lentilles en conserve
- 250 ml (1 tasse) de pommes de terre coupées en dés
- 250 ml (1 tasse) de patates douces coupées en dés
- 5 ml (1 c. à thé) de moutarde en poudre
- Sel et poivre au goût
- 450 g (environ 1 lb) de pâte à tarte végane
- 250 ml (1 tasse) de bouillon de légumes

1. Dans un bol, mélanger le tofu avec la sauce soya et les assaisonnements italiens. Laisser mariner au frais 30 minutes.

2. Dans une grande poêle, chauffer l'huile à feu moyen. Cuire les cubes de tofu de 5 à 7 minutes, jusqu'à ce qu'ils soient dorés sur toutes les faces.

3. Dans un bol, mélanger le tofu avec l'oignon, les haricots, les lentilles, les pommes de terre, les patates douces et la moutarde en poudre. Saler et poivrer.

4. Diviser la pâte en deux. Sur une surface farinée, abaisser chacune des boules de pâte en un ovale de 33 cm x 28 cm (13 po x 11 po). Déposer un ovale de pâte dans une cocotte ou dans une casserole à fond épais.

5. Verser la préparation au tofu sur la pâte, puis couvrir la cocotte de l'autre ovale de pâte. Bien sceller les rebords en pressant avec les doigts. Réfrigérer 2 heures.

6. Au moment de la cuisson, préchauffer le four à 150 °C (300 °F).

7. Faire un trou au centre de la pâte, puis y verser le bouillon. Cuire au four 3 heures 30 minutes.

« *Tel que promis à Occupation Double, la mère de PH a confectionné une recette de tourtière du Lac-Saint-Jean végane. Elle nous l'a fait goûter à Noël et, depuis, nous en rêvions. Après plusieurs essais, voici donc cette fameuse tourtière qui ne sacrifie pas la tradition ni le goût. Nous sommes fiers de vous présenter cette version végane !* »

– Jessie et PH

SAUCES

Si, comme nous, vous êtes du type sauce, vous trouverez votre compte dans cette section. Vous pouvez utiliser ces sauces dans différents repas afin d'agrémenter les autres recettes du livre. Vous pouvez aussi en faire en plus grande quantité et les garder au réfrigérateur jusqu'à une semaine.

Végénaise

PRÉPARATION 10 MINUTES | **TREMPAGE** 8 HEURES | **QUANTITÉ** ENVIRON 375 ML (1 ½ TASSE)

Par portion (30 ml – 2 c. à soupe): 34 calories; protéines 2 g; matières grasses 2 g; glucides 3 g; fibres 0 g; fer 0 mg; calcium 9 mg; sodium 121 mg

60 ml (¼ de tasse) de noix de cajou

250 ml (1 tasse) de tofu soyeux mou (de type Sunrise)

60 ml (¼ de tasse) de jus de citron (ou 30 ml — 2 c. à soupe de vinaigre de cidre)

15 ml (1 c. à soupe) de sirop d'érable

10 ml (2 c. à thé) de moutarde de Dijon

2,5 ml (½ c. à thé) de sel

1. Dans un bol, déposer les noix de cajou et couvrir de 60 ml (¼ de tasse) d'eau. Laisser tremper 8 heures ou toute une nuit.

2. Égoutter les noix de cajou.

3. Dans le contenant du robot culinaire, déposer tous les ingrédients. Émulsionner jusqu'à l'obtention d'une préparation homogène.

« *Il existe beaucoup de végénaises en épicerie, mais celles-ci sont souvent faites avec une grande quantité d'huile et donc, de gras. Notre version en est une qui est délicieuse, sans avoir l'apport calorifique énorme des marques connues. C'est une parfaite façon d'ajouter du goût sans la culpabilité de manger de la mayonnaise. À essayer dans un sous-marin ou dans un panini.* »

– Jessie et PH

Sauce sucrée

PRÉPARATION 10 MINUTES | **CUISSON** 15 MINUTES | **QUANTITÉ** ENVIRON 750 ML (3 TASSES)

Par portion (45 ml – 3 c. à soupe) : 89 calories ; protéines 3 g ; matières grasses 4 g ; glucides 12 g ; fibres 2 g ; fer 1 mg ; calcium 21 mg ; sodium 170 mg

- 1 patate douce pelée et coupée en cubes (environ 500 ml – 2 tasses de cubes)
- 125 ml (½ tasse) de beurre d'arachide
- 45 ml (3 c. à soupe) de sauce soya
- 45 ml (3 c. à soupe) de sirop d'érable
- 15 ml (1 c. à soupe) de gingembre haché
- 2 gousses d'ail émincées
- 1 lime (jus)

1. Déposer les cubes de patate douce dans une casserole et couvrir d'eau froide. Saler. Porter à ébullition à feu moyen, puis cuire de 15 à 20 minutes, jusqu'à tendreté. Égoutter en prenant soin de réserver l'eau de cuisson (pour allonger la sauce au besoin).

2. Dans le contenant du robot culinaire, déposer tous les ingrédients. Émulsionner jusqu'à l'obtention d'une purée lisse, en ajoutant de l'eau de cuisson au besoin.

Une sauce sucrée pour accompagner une collation salée est un mariage parfait pour n'importe quel évènement, que ce soit une journée de match avec des amis ou une soirée cinéma en amoureux. Cette sauce offre un petit goût d'arachide avec une touche d'érable, ce qui, même sur papier, semble légendaire. Pour les gens « sauce » comme Jessie et moi, c'est idéal !

– PH

Guacamole

PRÉPARATION 10 MINUTES | **QUANTITÉ** ENVIRON 750 ML (3 TASSES)

Par portion (80 ml – ⅓ de tasse) : 75 calories ; protéines 1 g ; matières grasses 6 g ; glucides 5 g ; fibres 3 g ; fer 0 mg ; calcium 9 mg ; sodium 5 mg

125 ml (½ tasse) de feuilles de coriandre

2 avocats

1 jalapeño épépiné (ou conserver les graines pour plus de piquant)

1 lime (jus)

½ oignon rouge

1 tomate coupée en petits dés

1. Dans le contenant du robot culinaire, déposer tous les ingrédients, à l'exception de la tomate. Émulsionner jusqu'à l'obtention d'une préparation homogène.

2. Transvider la préparation dans un bol. Garnir de dés de tomate.

« *Aucun livre de recettes n'est complet sans une recette de guacamole. Ça tombe bien, car je suis une grande consommatrice de chips de maïs ! Cette recette est un brin épicée et très rafraîchissante. Parfaite pour un après-midi entre amis sur le bord de la piscine ou pour apporter en pique-nique à la plage ! Quand PH veut me faire plaisir, le guacamole est un succès assuré.* »

– Jessie

Sauce barbecue fruitée

PRÉPARATION 10 MINUTES | **CUISSON** 6 MINUTES | **QUANTITÉ** ENVIRON 625 ML (2 ½ TASSES)

Par portion (60 ml – ¼ de tasse) : 94 calories ; protéines 1 g ; matières grasses 3 g ; glucides 17 g ; fibres 1 g ; fer 1 mg ; calcium 30 mg ; sodium 148 mg

30 ml (2 c. à soupe) d'huile d'olive

1 petit oignon rouge haché

2 gousses d'ail hachées

15 ml (1 c. à soupe) de paprika fumé doux

250 ml (1 tasse) de cerises dénoyautées

250 ml (1 tasse) de sauce tomate

125 ml (½ tasse) de vinaigre de cidre

125 ml (½ tasse) de sirop d'érable

30 ml (2 c. à soupe) de pâte de tomates

Sel et poivre au goût

1. Dans une poêle, chauffer l'huile à feu moyen. Cuire l'oignon rouge et l'ail 1 minute. Ajouter le paprika et remuer pour bien en enrober les ingrédients.

2. Ajouter le reste des ingrédients, puis porter à ébullition. Laisser mijoter à feu doux 5 minutes, jusqu'à ce que la sauce ait épaissi. Retirer du feu et laisser tiédir.

3. Transvider la préparation dans le contenant du robot culinaire. Émulsionner jusqu'à l'obtention d'une préparation homogène.

« *J'avais une recette de sauce barbecue que j'ai décidé de modifier pour mettre dans ce livre. C'était extrêmement important pour moi d'avoir une telle sauce, considérant que le goût de fumée en est un dont j'avais peur de m'ennuyer. L'ajout de paprika fumé et de sirop d'érable donne une tournure délicieuse à cette sauce que tout le monde redemande. Vous pouvez ajouter une ou deux gouttes de fumée liquide pour atteindre un autre niveau de saveur fumée. Une sauce vraiment délicieuse servie sur du tofu pané !* »

– PH

Sauce asiatique pour poke

PRÉPARATION 10 MINUTES | **CUISSON** 1 MINUTE | **QUANTITÉ** ENVIRON 500 ML (2 TASSES)

Par portion (60 ml – ¼ de tasse) : 52 calories ; protéines 1 g ; matières grasses 0 g ; glucides 12 g ; fibres 0 g ; fer 0 mg ; calcium 20 mg ; sodium 431 mg

310 ml (1 ¼ tasse) d'eau

80 ml (⅓ de tasse) de sirop d'érable

60 ml (¼ de tasse) de sauce soya

60 ml (¼ de tasse) de vinaigre balsamique

30 ml (2 c. à soupe) de fécule de maïs

15 ml (1 c. à soupe) de gingembre haché

1. Dans une casserole, déposer tous les ingrédients. Porter à ébullition, puis laisser mijoter de 1 à 2 minutes, jusqu'à l'obtention d'une texture sirupeuse.

« Un classique simple pour agrémenter des poke bowls*, parfois trop peu savoureux. Il s'agit d'une sauce teriyaki maison qui relève les saveurs de tous les aliments. Parfaite pour servir dans un sandwich asiatique ou pour faire mariner du tofu, qui absorbera toutes les saveurs et se transformera en élément protéiné dans n'importe quelle recette. Le sirop d'érable ajoute par ailleurs un brin du Québec dans ce classique d'Asie ! »*

– Jessie et PH

Vinaigrette au sésame

PRÉPARATION 10 MINUTES | **QUANTITÉ** ENVIRON 940 ML (3 ¾ TASSES)

Par portion (30 ml - 2 c. à soupe) : 178 calories ; protéines 0 g ; matières grasses 20 g ; glucides 0 g ; fibres 0 g ; fer 0 mg ; calcium 1 mg ; sodium 110 mg

- 180 ml (¾ de tasse) de vinaigre de cidre
- 45 ml (3 c. à soupe) d'huile de sésame grillé
- 45 ml (3 c. à soupe) de sauce soya
- 45 ml (3 c. à soupe) de moutarde de Dijon
- 625 ml (2 ½ tasses) d'huile végétale

1. Dans un bol, déposer tous les ingrédients, à l'exception de l'huile végétale. À l'aide du mélangeur-plongeur, émulsionner la préparation.

2. Verser graduellement l'huile en émulsionnant la préparation jusqu'à ce que l'huile soit bien incorporée.

3. Au moment de servir, bien mélanger la vinaigrette.

« *L'huile et le vinaigre sont à la base de plusieurs sortes de vinaigrettes. Cette version au sésame apporte une touche asiatique à n'importe quelle salade verte, de légumineuses ou de lentilles. Cette recette peut facilement être réfrigérée et utilisée plus tard dans la semaine, dans n'importe quel accompagnement. La salade du chef n'aura jamais été aussi bonne !* »

– Jessie et PH

Sauce aux arachides

PRÉPARATION 10 MINUTES | **QUANTITÉ** ENVIRON 365 ML (1 ½ TASSE)

Par portion (45 ml – 3 c. à soupe) : 132 calories ; protéines 5 g ; matières grasses 11 g ; glucides 6 g ; fibres 2 g ; fer 1 mg ; calcium 18 mg ; sodium 241 mg

- 160 ml (⅔ de tasse) de lait de coco
- 125 ml (½ tasse) de beurre d'arachide naturel
- 30 ml (2 c. à soupe) de gingembre haché
- 30 ml (2 c. à soupe) de sauce soya
- 5 ml (1 c. à thé) de sriracha
- 2,5 ml (½ c. à thé) de coriandre moulue
- 2,5 ml (½ c. à thé) de cumin
- 2,5 ml (½ c. à thé) de sucre
- 1 gousse d'ail hachée
- 1 lime (jus)
- Sel et poivre au goût

1. Dans le contenant du robot culinaire, déposer tous les ingrédients. Émulsionner jusqu'à l'obtention d'une préparation homogène.

« *Depuis que j'ai fait la transition, j'ai tendance à opter pour des dîners simples, du genre rouleaux de printemps avec un maximum de légumes colorés, histoire de rendre le tout beaucoup plus attrayant. La sauce aux arachides est parfaite pour de tels repas légers, quand on ne veut pas trop se casser la tête. Utilisez du beurre d'arachide croquant pour y ajouter un peu de texture !* »

– PH

Sauce marinara

PRÉPARATION 10 MINUTES | **CUISSON** 38 MINUTES | **QUANTITÉ** ENVIRON 500 ML (2 TASSES)

Par portion (125 ml – ½ tasse) : 147 calories ; protéines 4 g ; matières grasses 7 g ; glucides 20 g ; fibres 5 g ; fer 3 mg ; calcium 89 mg ; sodium 970 mg

- 30 ml (2 c. à soupe) d'huile d'olive
- 2 gousses d'ail hachées
- 1 boîte de tomates broyées sans sel ajouté de 796 ml
- 5 ml (1 c. à thé) d'origan séché
- 15 ml (1 c. à soupe) de sirop d'érable
- 5 ml (1 c. à thé) de sel
- 1 pincée de piment de Cayenne broyé
- 125 ml (½ tasse) de basilic haché
- 30 ml (2 c. à soupe) de levure alimentaire (facultatif, pour un goût fromagé)

1. Dans une casserole, chauffer l'huile à feu moyen. Cuire l'ail 1 minute.

2. Ajouter les tomates, l'origan, le sirop d'érable, le sel et le piment de Cayenne. Remuer. Porter à ébullition, puis laisser mijoter 30 minutes à feu doux en remuant de temps en temps.

3. Ajouter le basilic et laisser mijoter 5 minutes.

4. Si désiré, incorporer la levure alimentaire.

« *Lorsque j'ai choisi un mode de vie végane, les pâtes sont devenues mes meilleures amies. Elles sont simples à cuisiner et me fournissent l'énergie nécessaire pour les longues journées. C'est également extrêmement réconfortant. Cette sauce est notre version de la marinara classique, et elle se porte à merveille sur n'importe quel plat italien. À combiner avec des pâtes de légumineuses pour un maximum d'énergie !* »

– Jessie

Sauce rosée

PRÉPARATION 10 MINUTES | **CUISSON** 6 MINUTES | **QUANTITÉ** 1,125 LITRE (4 ½ TASSES)

Par portion (125 ml – ½ tasse) : 53 calories ; protéines 2 g ; matières grasses 2 g ; glucides 6 g ; fibres 1 g ; fer 1 mg ; calcium 22 mg ; sodium 377 mg

1 contenant de sauce tomate de 680 ml

180 ml (¾ de tasse) de tofu soyeux mou (de type Sunrise)

15 ml (1 c. à soupe) d'huile végétale

3 à 4 gousses d'ail émincées

2 petits oignons hachés finement

2,5 ml (½ c. à thé) de basilic séché

Sel et poivre ou piment de Cayenne au goût

1. Dans le contenant du robot culinaire, déposer la sauce tomate et le tofu. Émulsionner jusqu'à l'obtention d'une sauce lisse.

2. Dans une casserole, chauffer l'huile à feu moyen. Cuire l'ail et les oignons 1 minute.

3. Ajouter la préparation à la sauce tomate et le basilic dans la casserole. Saler, poivrer et remuer. Laisser mijoter de 5 à 10 minutes à feu doux.

Vous pouvez remplacer la sauce tomate par des tomates en dés mélangées à de la pâte de tomates.

« *Il était impératif pour moi de trouver une option sans produit laitier à la sauce rosée. C'est une sauce qui se prête à plusieurs plats, que ce soit des raviolis maison, des pennes ou une lasagne, et qui donne à n'importe quelle assiette une belle texture. Cette version a l'avantage de fournir un apport protéiné par l'ajout du tofu. Les sceptiques du tofu seront confondus !* »

– Jessie

Index des recettes

RECETTES DE BASE

DÉJEUNERS ET BRUNCHS

62

COLLATIONS

ENTRÉES ET BOUCHÉES

SOUPES

REPAS LÉGERS

126

REPAS PRINCIPAUX

SAUCES

DESSERTS

34

104

156